Depeche Mode

KULTBAND FÜR DIE MASSEN

Impressum

Titel der Originalausgabe von
Palazzo Editions Ltd, London:
„Depeche Mode: Faith And Devotion"
Design/Layout: © Palazzo Editions Ltd
Text: © Ian Gittins
Design: Becky Clarke für Palazzo Editions

Deutsche Erstausgabe 2019

Satz: Thomas Auer, www.buchsatz.com
Übersetzung: Paul Fleischmann
(bis einschließlich Kapitel 7),
Andreas Schiffmann (ab Kapitel 8)
Faktencheck: Ronny Ecke, Carsten Pfund,
Partyman
Lektorat/Korrektorat: Dr. Matthias Auer

© 2019 by hannibal

Hannibal Verlag, ein Imprint der
KOCH International GmbH,
A-6604 Höfen
www.hannibal-verlag.de

ISBN 978-3-85445-670-4

RECHTS Martin Gore und
Depeche Mode performen im
Rahmen der *Tour Of The Universe*
live in der Prager O2 Arena,
14. Januar 2010.

SEITE 4 Martin Gore, Andrew
Fletcher und Dave Gahan im
Jahr 2001.

Depeche Mode

KULTBAND FÜR DIE MASSEN

IAN GITTINS

hannibal

Inhalt

Outsider Art

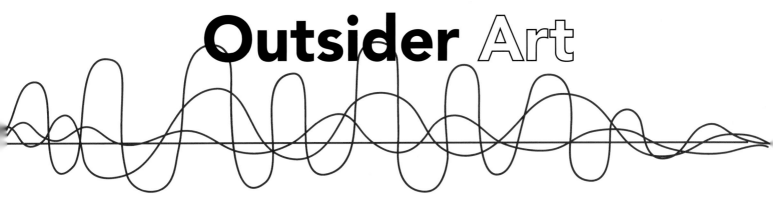

Die Post-Punk-Ära der frühen Achtzigerjahre gilt als eine der produktivsten Phasen in der Musikgeschichte Großbritanniens. Es war eine Zeit, in der sich einige verquere Außenseiter und Freaks, ermutigt durch das DIY-Punk-Ethos, dazu aufrafften, sich mit Gitarren und Keyboards zu bewaffnen und an die Spitze der Charts zu stürmen. Eine kurze Epoche, in der Träumer und Visionäre mithilfe neuerdings erschwinglicher elektronischer Instrumente provokante Kompositionen kreierten. Die innovativsten Vertreter bezeichneten sich selbst als Futuristen, und ein paar berauschende Jahre lang schienen sie die Zukunft tatsächlich neu zu erfinden.

The Human League, Gary Numan, Soft Cell, Heaven 17, New Order, ABC, Spandau Ballet, Orchestral Manoeuvres in the Dark, (die frühen) Simple Minds … alle waren sie Unruhestifter aus der Provinz auf ihrer subversiven Mission, perfekte Popmusik zu erschaffen. Die meisten von ihnen sind längst Geschichte oder nur mehr ein trauriger Abklatsch ihrer selbst. Nur ein Vertreter dieser ursprünglichen Ansammlung von Electro-Alchemisten kann von sich behaupten, auch 40 Jahre später als in Leder gekleidete Pop-Ikonen und veritable Schwergewichte des Rock and Roll immer noch Stadien rund um den Erdball zu füllen. Nur diese eine Gruppe blieb ihrem einzigartigen musikalischen Ansatz treu und eroberte damit die Welt. Wir sprechen hier natürlich von Depeche Mode, deren Aufstieg zu Superstars eine der außergewöhnlichsten Erfolgsstorys der modernen Pop-Historie darstellt.

In ihren frühen Jahren waren Depeche Mode alles andere als cool. Sie stammten aus einer farblosen Stadt am Ende der Welt und verkörperten für viele Provin-

zialität in Reinform. Ihnen mangelte es am Kunsthochschul-Background und den Allüren so mancher ihrer Kollegen. Vor ihrem ersten Hit arbeiteten zwei von ihnen in einer Bank.

Depeche Mode galten nie als Anwärter auf den Pop-Thron. Schüchtern und linkisch, wie sie waren, sah man sie nicht als Synth-Pop-Elite, die mit ihren Manifesten danach strebte, die Regeln des Chart-Pops und der Musikindustrie zu brechen. Tatsächlich wurden ihre harmlosen, eingängigen Nummern von den Trendsettern und Kritikern auf der britischen Insel eher belächelt.

Auch waren ihre frühen Jahre alles andere als einfach. Nach dem überraschenden Erfolg ihres Debütalbums *Speak & Spell* von 1981 verließ Bandleader und Haupt-Songwriter Vince Clarke unerwartet die Gruppe, um sich anderen Projekten zu widmen. Ein herber Schlag, den nicht viele Bands verwunden hätten, doch Depeche Mode blühten daraufhin förmlich auf.

Sie entdeckten in Person des schweigsamen Martin Gore einen phänomenalen neuen Songwriter in ihren Reihen, woraufhin die Band kontinuierlich ihren musikalischen Fokus weg von Clarkes leichtgewichtigem Pop hin zu etwas viel Heftigerem mit deutlich mehr Tiefgang verschob – hin zu etwas, das ungleich *düsterer* war.

Gesegnet mit der samtenen Stimme und dem elektrisierenden Charisma ihres Frontmannes Dave Gahan, diesem geborenen Rockstar, schufen Depeche Mode ihre ganz eigene einzigartige Version rockigen Electro-Noir-Pops. Die Melodien waren verführerisch, doch die Texte drehten sich um abgründige Obsessionen: Sex, Religion, Verführbarkeit, Verderben, Verrat.

Sie waren eine Band, deren Anhängerschaft ihr voller Hingabe bedingungslos folgte. Nachdem sie Ende der Achtziger zuhause in Großbritannien im Mainstream

Noch keine strahlenden Pop-Giganten: Depeche Mode in Basildon.

angekommen waren, gelang ihnen schon bald der große Wurf in Amerika. „Personal Jesus" lief auf MTV und im Radio, und ihr kolossales Album *Violator* von 1990 sollte sich insgesamt drei Millionen Mal allein in den USA verkaufen.

Dieser Triumph war vor allem deshalb so beachtlich, da ihn Depeche Mode erreicht hatten, ohne über Nacht auf Ecken und Kanten zu verzichten oder ihre textliche Ausrichtung anzupassen – und doch hatten sie einen hohen Preis zu zahlen. Nicht jedem tut das Leben als Megastar gut, und die Bandmitglieder, die schon immer dem Exzess nicht abgeneigt waren, gerieten in lebensgefährliche Abwärtsspiralen. Gahans Absturz war dabei der öffentlichkeitswirksamste und spektakulärste. Der Sänger, abhängig von Kokain und Heroin, erlitt 1993 auf der Bühne eine Herzattacke und versuchte, sich zwei Jahre später das Leben zu nehmen. 1996 folgte noch eine Überdosis im Hotel Sunset Marquis in Los Angeles.

Abseits des Rampenlichts kämpfte der zurückgezogen lebende Gore währenddessen mit Alkoholismus, während Andrew Fletcher an heftigen Depressionen litt.

Depeche Mode hätten viele Male schlichtweg implodieren können, doch irgendwie blieb sich diese so widerstandsfähige Band letztendlich immer treu und überlebte. Mehr noch, die Musiker schufen fulminante, kathartische Alben wie etwa *Songs Of Faith And Devotion* und *Ultra*, die sich viele Millionen Mal verkauften und ihre tiefe Verzweiflung in kreative Kanäle umleitete.

Vier Jahrzehnte nach ihrer Gründung sind Depeche Mode trocken und clean, veröffentlichen jedoch weiterhin Alben, die viel provokanter und eigenwilliger sind als von so alten Haudegen eigentlich zu erwarten wäre. So ist *Spirit*, ihr Album von 2017, eine unerwartet scharfe Abrechnung mit der weltweiten politischen Lage und wurde gefeiert wie schon lange keines ihrer Alben mehr. Sie kamen einst aus dem Nirgendwo und wurden zu globalen Superstars, was sie fast umbrachte. Doch irgendwie machte sie das nur stärker. Dies ist die außergewöhnliche Geschichte von Depeche Mode.

Dave Gahan steht für Rockstar-Exzess, Molson Canadian Amphitheatre, September 2013.

#EXPRESSOS
APPEARING AT
FULHAM GREYHOUND
EVERY WEDNESDAY
RUNNER
SOX
Appearing Live At

DIE MAUERN
VON BASILDON

Manche Orte werden einfach nie cool sein. Auf der ganzen Welt gibt es Städte, die aufgrund ihrer geografischen Lage, der wirtschaftlichen Situation oder auch einfach „nur so" das Pech haben, als Lachnummer zu gelten. So hat man sich etwa in Großbritanniens zweitgrößter Stadt Birmingham längst damit abgefunden, als besonders reizlose Betonwüste hingestellt zu werden.

Es sei dahingestellt, ob diese Städte nun zurecht als Zielscheibe für Spott und Hohn herhalten müssen. Von außen werden sie jedoch als glanzlos, provinziell, ohne jeglichen Reiz und Glamour eingestuft. Sterile, kulturfreie Zonen, die nur so vor Banalität strotzen.

Das bringt uns zu Basildon.

Depeche Modes Heimatstadt ist alles andere als eine lebendige Metropole. Sie befindet sich rund 40 Kilometer östlich von London in der von Arbeitern dominierten Region Essex, über die ebenfalls gerne Witze gerissen werden. Basildon erhielt 1949 den Status einer „New Town" und diente in erster Linie als Wohnstadt für Pendler, die in der Hauptstadt arbeiteten. Auch subventionierte die britische Regierung Konzerne wie Ford und GEC-Marconi, die sich dort ansiedelten. Dieser plötzliche wirtschaftliche Wachstumsschub, die teilweise überaus hässliche, hyperfunktionelle Innenstadtarchitektur sowie der vordergründige Mangel an Geschichte und eigenem Charakter führte zu einer snobistisch geprägten Ablehnung der Stadt. Nein, Basildon würde niemals cool sein. Und man konnte sich auch nicht vorstellen, dass irgendetwas Cooles von hier stammen könnte. Bis Depeche Mode das Gegenteil bewiesen.

Der kreative Kopf der Band, Martin Lee Gore, stammt ursprünglich nicht aus Basildon. Er wurde am 23. Juli 1961 im nahen Dagenham geboren, und seine Eltern – der Mechaniker und Fahrer Dave und die Pflegekraft Pamela – zogen mit ihm dorthin, als er noch klein war.

Gore selbst sagt, er sei ein schüchternes und verschlossenes Kind gewesen, in der Schule fleißig und unauffällig. Noch im Alter von fünf habe er eine Zeit lang andere Kinder verdroschen – eine bedauerliche Phase, der schließlich eine väterliche Standpauke ein Ende setzte. „Ich bin froh, dass man mir ins Gewissen redete. Dadurch wurde ich sehr zurückhaltend und regelrecht harmlos."

In der Schule interessierte sich Gore vor allem für Sprachen, bis er schließlich mit zehn die Musik für sich

VORHERIGE SEITE Andrew Fletcher, Dave Gahan, Vince Clarke und Martin Gore im Jahr 1980.

LINKS Wer würde Basildon ernsthaft als öde bezeichnen?

entdeckte. Angefixt von den alten Elvis- und Chuck-Berry-Singles seiner Mum begeisterte er sich auch für den schillernden Chart-Sound jener Zeit, so etwa für die mittlerweile zu einer Gefängnisstrafe verurteilte Glam-Rock-Ikone Gary Glitter.

„Ich wäre fast seinem Fanclub beigetreten", enthüllte er später. „Mich sprach der Glamour des frühen Siebzigerjahre-Pops an … Ich suchte überall nach seiner Version von ‚Baby Please Don't Go'. Es ist schrecklich, aber darum wollte ich Popstar werden."

Der junge Musikfan Gore versuchte sich an der Nicholas Comprehensive School zunächst an Oboe, Geige und Klavier, bevor ihm seine Mutter mit 13 eine Akustikgitarre schenkte. Später würde Pamela ihm mitteilen, dass ihr Ehemann nicht sein biologischer Vater sei. Gore war zwar schockiert, doch blieb sein liebevoller männlicher Beschützer Dave Gore für ihn auch weiterhin die einzig wahre Vaterfigur.

Gore hängte sich dann voll rein und brachte sich einfache Akkorde auf der Gitarre bei. Er schrieb sogar erste rudimentäre Songs, obwohl ihn seine Schüchternheit davon abhielt, sie irgendjemandem vorzuspielen. Sein introvertierter Charakter schränkte seine sozialen Kontakte stark ein. Allerdings hatte er eine Weile sogar eine Freundin namens Anne Swindell, die vor ihm mit einem anderen Schüler auf der Nicholas Comprehensive gegangen war, einem gewissen Andrew Fletcher.

Geboren am 8. Juli 1961 in Nottingham, war Fletcher so wie auch Gore als Kleinkind nach Basildon gezogen, als sein Vater eine neue Stelle als Mechaniker annahm. „Für den Job gab es ein Haus", sollte er 2001 Stephen Dalton in einem ausführlichen Interview mit *Uncut* diktieren. „Wenn man einen Job ergatterte, konnte man sich ein Haus leisten."

Im Alter von acht schloss sich Fletcher, den man schon seit seiner frühesten Schulzeit „Fletch" rief, der christlichen Jugendorganisation Boys' Brigade an. Obwohl er das ursprünglich bloß tat, um für deren Fußballmannschaft spielen zu können, wurde er bald tief religiös.

Der junge Fletcher sah sich als „wiedergeborenen Christen" und besuchte fortan sieben Tage die Woche die Messe – so wie auch ein anderes Mitglied der Boys' Brigade, das ebenfalls Schüler an der Nicholas Comprehensive war: Vince Martin.

Auch Vince Martin, der am 3. Juli 1960 in South Woodford, einem nordöstlich gelegenen Vorort von London, zur Welt kam, war als Kleinkind nach Basildon gezogen. Dieser linkische und zappelige Junge hatte so wie Fletcher noch vor der Pubertät eine Vorliebe für das Christentum entwickelt. „Vince und mich sprach das Predigen an – zu versuchen, Ungläubige zu bekehren", gestand Fletcher 1983 im *NME*. „Vince rangierte in der lokalen Hierarchie an dritter Stelle."

Es war schlussendlich die Musik, die Vince Martin dazu brachte, der Kirche den Rücken zu kehren. So schloss er sich mit elf einer jeweils am Samstagmorgen geöffneten örtlichen Musikschule an. Dort traf er auf die quirlige Alison Moyet, die ebenfalls die Nicholas Comprehensive besuchte. „Ich unterhielt mich zwar nie mit [Vince], doch ich erinnere mich noch an ihn, weil er und seine beiden Brüder weißblonde Haare hatten", erklärte Moyet 2008 dem *Independent*. „Sie sahen wie eine Entenfamilie aus."

Nachdem er sich so wie Gore für kurze Zeit mit der Oboe befasst hatte, wandte sich auch Vince Martin der Akustikgitarre zu, da er sich als Teenager schnell für Simon & Garfunkel begeisterte. Zusammen mit christlichen Freunden formierte er eine kurzlebige Folk-Gospel-Gruppe.

Als 1977 Punk losbrach, entstand das Duo No Romance in China mit Vince als Gitarristen und Sänger und Fletcher als Bassisten. Ihr Repertoire, so schreibt

Steve Malins in *Depeche Mode: Die Biografie*, umfasste zunächst Covers der Everly Brothers sowie von Gerry and the Pacemakers. Allerdings änderten sich ihre Präferenzen schon bald. „No Romance in China wollten wie The Cure sein", vertraute Fletch 1985 dem Magazin *Number One* an. „Wir standen auf ihre LP *Three Imaginary Boys*. Vince versuchte, wie Robert Smith zu singen."

No Romance in China blieb ein Höhenflug, wie er The Cure beschieden war, bekanntlich leider verwehrt, und die Band löste sich 1979 auf.

Im selben Jahr schlossen Fletcher und Gore die Schule mit dem Abitur ab. Gore stellte seine besondere Sprachbegabung unter Beweis und machte sowohl in Französisch als auch in Deutsch seinen Abschluss.

Allerdings scheiterte er an Mathe, was seine nächste Entscheidung etwas fragwürdig erscheinen lässt: Er nahm nämlich einen Posten in einer Bank an!

„Nach den A-Level-Prüfungen musste ich eine Entscheidung für die Zukunft treffen, die mich selbst scho-

LINKS Der inzwischen zu einer langen Haftstrafe verurteilte Glam-Rocker Gary Glitter begeisterte den jungen Gore.

RECHTS Alison Moyet fand, dass Vince wie eine Ente aussehe.

ckierte", erklärte er ein paar Jahre später. „Ich war nicht motiviert genug, um etwa auf die Uni zu gehen. Ich wollte ja gar nicht von der Schule weg, da ich mich dort sicher fühlte."

Auch Fletcher entschied sich gegen die Uni und folgte seinem Kumpel in den Finanzsektor. Er nahm einen Job bei Sun Life Insurance in London an, einen Steinwurf von der NatWest Bank entfernt, wo Gore als Kassierer angefangen hatte.

Allerdings gründete Gore zusammen mit seinem alten Schulfreund Philip Burdett ebenfalls ein Duo namens Norman & The Worms, das sich auf folkige Covers spezialisierte und auch eine kuriose Version des Titelsongs zur australischen Kinderfernsehsendung *Skippy, das Buschkänguruh* einspielte.

Inzwischen fand sich Vince mit einem weiteren Freund aus Basildon und ehemaligen Mitschüler namens Perry Bamonte zu einer Gruppe namens The Plan zusammen, die jedoch nur kurz existierte. (Bamonte sollte später als Keyboarder und Gitarrist zu The Cure stoßen.)

Dieses musikalische Karussell drehte sich weiter, als sich Vince erneut mit Fletcher zusammentat und mit ihm Composition of Sound gründete. Sie traten gelegentlich in einem Pub in Basildon, dem Van Gogh, auf, was auch auf Norman & The Worms sowie Alison Moyets Punk-Band The Vandals zutraf. Diese Szene wäre allerdings wohl belanglos geblieben, wenn Martin Gore nicht mit 300 angesparten Pfund einen Moog Prodigy-Synthesizer gekauft hätte.

Vince befand sich im Publikum, als Gore sein Keyboard bei einem Gig von Norman & The Worms zum ersten Mal zum Einsatz brachte. Er war schwer beeindruckt: „Martin brachte einen Synthie mit, und ich fand das einfach toll – ein Instrument, für das man keinen Amp brauchte, sondern das man einfach in die PA einsteckte!" Vince und Fletcher luden daraufhin Gore – oder eigentlich dessen Keyboard – ein, sich Composition of Sound anzuschließen. Die Urbesetzung umfasste

Gore am Synthie, Fletcher am Bass und Vince an Gitarre und Gesang. Doch Vince, der fast genau so unsicher wie Gore war, hatte letztlich keine Lust, den Frontmann zu machen.

Gore spielte seinen Moog auch noch in einer anderen Band, The French Look, die von Rob Marlow (ebenfalls aus Basildon) angeführt wurde. Diese Bands hingen alle miteinander ab und probten im Woodlands Youth Club,

LINKS Warum auch nicht? Art Garfunkel & Paul Simon beeinflussten Vince Martin.

UNTEN Seine Version von „,Heroes'" ebnete Dave Gahan unwissentlich den Weg in die Band.

„Ich war nicht motiviert genug, um etwa auf die Uni zu gehen."

GORE

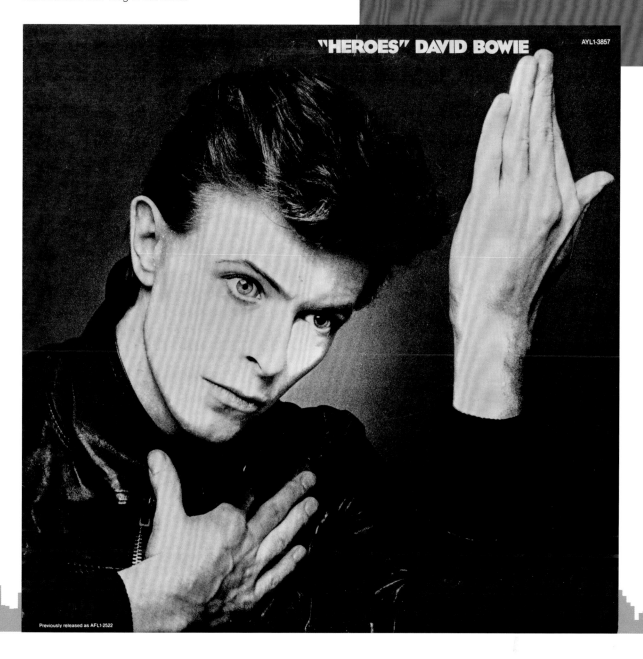

"HEROES" DAVID BOWIE

AYL1-3857

Previously released as AFL1-2522

der sich in einer lokalen Schule befand. Hier sollte es auch zu einem schicksalsträchtigen Treffen kommen.

Composition of Sound und The French Look probten gerade in benachbarten Räumen, als Vince durch die Wand hindurch hörte, wie ausgerechnet der „Tontechniker" von Letzteren, ein ortsansässiger tätowierter Tunichtgut namens Dave Gahan, eine überraschend melodische Version von Bowies „‚Heroes'" schmetterte.

Vince ging ein Licht auf. Wäre dieser Typ vielleicht das fehlende Puzzleteil, um Composition of Sound zu komplettieren – und sein Alibi, um sich selbst vorm Singen zu drücken? So kam es dann natürlich auch. Doch Gahan war anders gestrickt als Gore, Fletcher und Martin.

Dave Gahan kam am 9. Mai 1962 als David Callcott in Epping, Essex, zur Welt. Sein malaysisch-stämmiger Vater Len Callcott und seine Mutter Sylvia arbeiteten in London als Busfahrer bzw. Schaffnerin. Als sie sich trennten und sein Dad sich vom Acker machte, war er erst sechs Monate alt. Und er war immer noch sehr klein, als er mit seiner Mutter und seiner älteren Schwester Sue nach Basildon zog, nachdem Sylvia Jack Gahan geheiratet hatte, der für eine Ölfirma arbeitete. So wie Gore wuchs auch der junge Gahan im Glauben heran, dass der Mann, den er „Dad" nannte, sein biologischer Vater wäre.

Kurze Zeit nach Jack Gahans Tod 1972 traf Dave eines Tages auf Len Callcott. Sylvia informierte ihn darüber, dass dieser Mann sein eigentlicher Vater sei. Unter Tränen konterte Dave, dass dies nicht möglich sein könne. *Schließlich war sein Vater ja tot!*

Callcott tauchte im folgenden Jahr immer wieder einmal auf, bevor er schließlich erneut vom Radar verschwand. Sylvia sagte, er sei nach Jersey gezogen, um ein Hotel zu eröffnen.

Womöglich lag es an diesem Schockerlebnis, dass der junge Gahan prompt aus der Spur geriet. Die Barstable School in Basildon besuchte er nur unregelmäßig und wurde dann zum jugendlichen Delinquenten, der sich wegen Graffitis, Vandalismus und unerlaubten Spritztouren vor dem Jugendgericht verantworten musste. „Ich wollte einfach Aufmerksamkeit", erklärte er 2001 gegenüber *Uncut*. „Ich machte meiner Mutter eine Zeit lang großen Kummer. Ziemlich beschissen – Autos klauen, Sachbeschädigung, Diebstahl … Ich war echt wild. Es

war total aufregend, eine Karre zu klauen, davonzurasen und von der Polizei verfolgt zu werden. Sich hinter einer Mauer zu verstecken, während dir das Herz bis zum Hals schlägt – das ist schon ein Kick!"

Mit 14 war er bereits tätowiert, experimentierte mit weichen Drogen und fuhr mit dem Zug nach London, um sich in Clubs herumzutreiben. Mit 16 verließ er die Schule und hatte nur wenig vorzuweisen. Er verdingte sich daraufhin in „rund 20" Gelegenheitsjobs – als Bauarbeiter, am Getränkestand oder auch als Kassierer an der Tanke.

Besorgt, er könnte im Abseits landen, bewarb er

sich später für eine Lehrstelle als Schlosser bei North Thames Gas. Sein Bewährungshelfer riet ihm, seine kriminelle Vergangenheit nicht zu verheimlichen. Als er daraufhin abgelehnt wurde, verwüstete er das Büro des Bewährungshelfers. Dies wiederum führte dazu, dass sich Gahan in einem Heim für kriminelle Jugendliche in Romford wiederfand, wo er ein ganzes Jahr lang jedes Wochenende einsitzen musste.

„Das war echt zum Kotzen", meinte er später. „Da musstest du arbeiten. Dinge einpacken, so was eben. Sie schnitten dir die Haare. Mir wurde eingebläut, dass der nächste Schritt der Jugendknast sei."

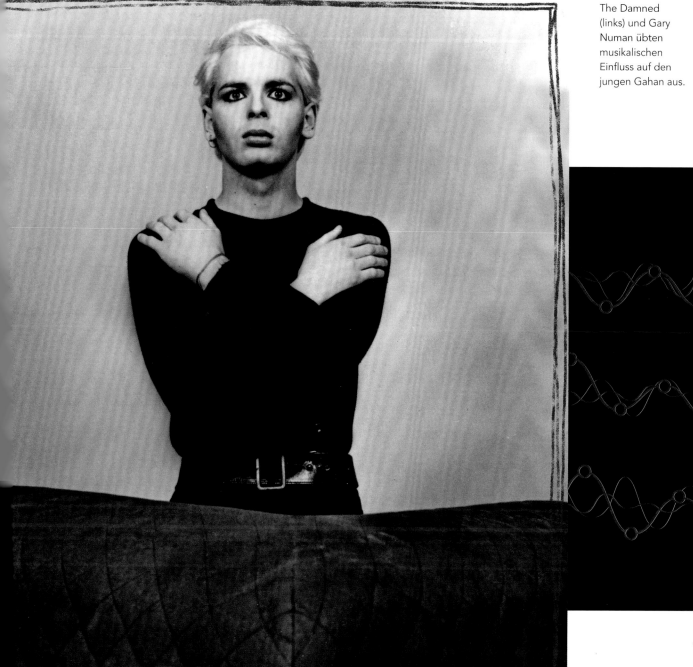

The Damned (links) und Gary Numan übten musikalischen Einfluss auf den jungen Gahan aus.

„Ich war echt wild.
Es war total aufregend,
eine Karre zu klauen,
davonzurasen und
von der Polizei
verfolgt zu werden."

GAHAN

Gahan schien die Kurve zu kriegen, als er sich mit 17 am Southend Technical College einschrieb und dieses als Schaufensterdekorateur abschloss. Auch entdeckte er die Musik für sich. Im Gegensatz zu den reservierteren jungen Herren Gore, Fletcher und Martin begeisterte sich Gahan schon früh für Punkrock, war Mitglied des The-Damned-Fanclubs und tanzte in Chelmsford Pogo zu The Clash, 999 und X-Ray Spex. Da ihn auch elektronische Musik faszinierte, reiste er 1979 Gary Numan auf dessen bahnbrechender Tour durch Großbritannien hinterher.

Gahan war also ein mit allen Wassern gewaschener Wildfang, College-Student und Teilzeit-Schaufensterdekorateur, als Vince ihn 1980 bat, sich Composition of Sound anzuschließen. Sein Debüt absolvierte er, als

sie vor Martin Gores andere Combo The French Look in einem Jugendclub der Nicholas Comprehensive School auftraten.

Gahan schlug ein wie eine Bombe: Sein Bariton und sein angeborenes Unterhaltungstalent boten eine willkommene Abwechslung zu seinen introvertierten Bandkollegen. Der Auftritt verlief für Composition of Sound überhaupt besser als für The French Look, die sich auf der Bühne zofften und sich daraufhin auflösten.

Mit Gahan an Bord musste Vince Martin zu seiner großen Freude nicht länger den Frontmann geben. Dies feierte er, indem er sich einen Künstlernamen zulegte: Vince Clarke. Auch wenn das nicht gerade wie „Ziggy Stardust" klang, ließ sich dennoch nicht verneinen, dass Clarke die treibende Kraft hinter der Band war. Er und Gore hatten beide schon mit ungefähr zwölf begonnen, Songs zu schreiben, doch der so zaghafte Gore überließ es gerne Clarke, die musikalische Vision der Gruppe auszuarbeiten.

In dieser Vision spielten weder Fletchers Bass noch Clarkes Gitarre eine Rolle. Begeistert von innovativen Electro-Pionieren wie Numan, The Human League und

vor allem Orchestral Manoeuvres in the Dark, beschloss er, dass Composition of Sound sich ausschließlich auf Synthesizer verlassen würden.

Fletcher erstand von seinem Gehalt bei Sun Life ein Keyboard, wohingegen Clarke seine Kohle zusammenkratzen musste, die er in einer lokalen Joghurt-Fabrik verdiente, um sich einen Synthie von Kawai leisten zu können. „Er kostete ungefähr 125 Pfund, vielleicht sogar 200", erklärte er Jonathan Miller für dessen Buch *Stripped: Depeche Mode*. „Nur Gott weiß, wie ich die Knete aufbrachte!"

Fletcher untermauerte dies 2009 in einer BBC-TV-Doku mit dem Titel *Synth Britannia*: „Vince war der Boss der Band. Er war unglaublich ambitioniert. Er verdiente 30 Pfund pro Woche in einer Joghurt-Fabrik und gab davon wohl 27,70 ins Sparschwein, um sich einen neuen Synthie leisten zu können." Nun brauchten sie nur noch Songs. Composition of Sound probten am Abend und an den Wochenenden, zunächst in der Garage von Clarkes Eltern, dann im Woodlands Youth Centre, bis ihnen schlussendlich ein Pfarrer einen Lagerraum in seiner Kirche anbot. Vielleicht eine karmische Belohnung für Clarkes und Fletchs einstige Frömmigkeit?

Nachdem ihm Charthits von OMD und Tubeway Army einen zusätzlichen Motivationsschub verliehen hatten, bestand Clarke darauf, dass die Band einen Großteil ihrer halbgaren Songs verwerfen und brandneues Material komponieren solle. Im Handumdrehen mauserte er sich so zum Haupt-Songwriter.

Ein paar dieser frühen Nummern wie „Reason Man", „Tomorrow's Dance" und „Addiction" sollten letztendlich niemals aufgenommen werden. Doch einer der Songs, „Photographic", ermöglichte ihnen schließlich ihre ersten kleinen Schritte hinaus in die weite Welt. Diese Clarke-Komposition eröffnete mit einigen Stakkato-Takten des Synthie, bevor schließlich ein satterer Electro-Beat einsetzte. Der für Gahan atypisch sanfte Gesang schien sich sowohl bei Gary Numans distanziertem Stil („I. Take. Pictures.") zu bedienen, als auch das schwülstige Melodram von Soft Cells Marc Almond vorwegzunehmen.

Die Achtzigerjahre brachten einen stilistischen Umbruch mit sich: The Human League (links) und Orchestral Manoeuvres in the Dark.

Futuristen? New Romantics? Soft Cell (links) und Spandau Ballet (oben).
RECHTS Boy George (rechts) mit dem befreundeten Popmusiker Marilyn.

„Photographic" war eindeutig Composition of Sounds Trumpfkarte, als sie sich aufmachten, ihre ersten Gigs zu spielen, etwa in einem Biker-Pub in Southend namens The Alexandra. Auch fungierte der Track als Opener eines drei Songs umfassenden Demos, das die Gruppe an diverse Venues und Veranstalter schickte.

Dies brachte der Band eine Handvoll Gigs ein, darunter im Bridge House, einem Hard-Rock-Pub in der Ostlondoner Canning Town. Composition of Sound traten ein paar Male vor den sprichwörtlichen zwei Konzertbesuchern samt Köter auf. „Sie kamen an wie vier Bürojungs, die gerade ihren ersten Job ergattert hatten", erinnert sich der ehemalige Besitzer des Bridge House, Terry Murphy, in Trevor Bakers Buch *Depeche Mode: The Early Years*. „Sie waren sehr schüchtern [als sie spielten]. Dave schien immer voll von den Socken zu sein."

Ihr Demo brachte ihnen auch ein samstäglich wiederkehrendes Gastspiel im Croc's ein, einem Nachtclub in Rayleigh, das nur zwölf Kilometer von Basildon entfernt lag. Dies wurde von der Musikszene, die sich gerade in der Hauptstadt entwickelte, zumindest wahrgenommen. Beeinflusst vom chamäleonartigen und geckenhaften Futurismus eines David Bowie, entfaltete sich die junge, auf Electro-Pop spezialisierte New-Romantic-Szene in Locations wie dem Club for Heroes und Blitz. Gahan

war dort ein oder zweimal vorstellig geworden.

Das Croc's stellte hingegen eine Art Außenposten für die New Romantics dar. Gary und Martin Kemp schauten dort vorbei. Culture Club würden ihren ersten Gig dort spielen. Und dort weckten auch Composition of Sound die Aufmerksamkeit eines überaus ambitionierten Londoner Szene-Insiders.

Im Alter von 16 hatte Stevo Pearce die Schule abgebrochen und spielte fortan bahnbrechende elektronische Musik als DJ im Chelsea Drugstore an der King's Road. Er galt als der Trendsetter schlechthin in Sachen Electro-Pop und Industrial. Auch begann er dann, für die Musikzeitschrift *Sounds* „Futurist Charts" zu erstellen.

Stevo hasste den Begriff „Futurist": „Das stand für Visage und all das, was es für mich zu einem Witz machte", sagte er in *Depeche Mode: Die Biografie*. Allerdings mochte er ein paar der Demos, die er bei *Sounds* erhielt. Er beschloss, auf eigene Faust eine Compilation zu veröffentlichen, *Some Bizzare*, deren Titel er später auch für sein Indie-Label verwenden würde.

Nachdem Stevo einen frühen Gig von Composition of Sound im Croc's gesehen hatte, wollte er sie für besagten Sampler. Allerdings war die Band bereits damit beschäftigt, das Interesse von Plattenfirmen zu erregen. Nachdem sie 50 Pfund zusammengekratzt hatten, buchten sie ein Studio in Barking im Osten Londons, um innerhalb eines Tages ein Demo aufzunehmen. Statt dieses jedoch mit der Post zu verschicken, verfolgten sie die freche Strategie, das Tape persönlich bei Plattenfirmen vorbeizubringen.

So erfuhren sie die Freuden der Ablehnung aus allernächster Nähe. Dave Gahan behauptet, dass sie an einem Tag gleich zwölf Mal abgelehnt worden seien, bevor sie beim Westlondoner Label Rough Trade, dem Eldorado des Post-Punk, vorstellig wurden.

„Wir trugen alle unsere Futuristen-Klamotten", erklärte Clarke Jonathan Miller für *Stripped*. „Bei Rough Trade arbeiteten die nettesten Leute. Sie waren bereit, sich das Tape anzuhören."

Rough Trade gefiel das Demo, aber Composition of Sound waren nicht ganz die Band, die zu ihnen passte, weshalb man dort vorschlug, dass sie sich doch an einen jungen Nachwuchs-Indie-Mogul wenden sollten, der sich gerade zufällig im Haus befand: Daniel Miller.

„Wir trugen alle unsere Futuristen-Klamotten. Bei Rough Trade arbeiteten die nettesten Leute. Sie waren bereit, sich das Tape anzuhören."

CLARKE

RECHTS Vince Clarke, 1984.
GANZ RECHTS Ein jugendlicher Dave Gahan.
UNTEN „Wie geht das Ding an?"

2 ANKUNFT & AUFBRUCH

aniel Otto Junius Millers Musikkarriere war bis dahin entschieden idiosynkratisch geprägt gewesen. Filmstudent an der Guildford School of Art in den späten Sechzigern, zeigte er sich gelangweilt vom Rock und wandte sich den elektronischen Experimenten deutscher Gruppen wie Can, Faust, Neu! sowie später Kraftwerk zu.

Nach einer Zeit als DJ in der Schweiz kehrte Miller während der Punk-Explosion nach London zurück. Begeistert von der Musik und vor allem der egalitären Einstellung, die dahintersteckte, beschloss er, selbst Musik zu machen. So kaufte er sich einen relativ billigen Korg 700S-Synthie und nahm zwei minimalistisch-elektronische Stücke mittels Tonbandgerät auf: „T.V.O.D." und „Warm Leatherette". Er nannte sich The Normal und vertrieb sein Produkt via Rough-Trade-Plattenläden. Sein neues Label nannte er Mute Records.

Dank des Radio-1-DJs John Peel, Presseberichten und Mundpropaganda wurde die Single zu einem Kulthit. Zusammen mit dem schottischen Electronic-Musiker Robert Rental ging Miller als Robert Rental & The Normal im Vorprogramm der Belfaster Punks Stiff Little Fingers auf Tour.

Obwohl er mit Mute Records keinen Langzeitplan verfolgte, hatte Miller das Cover der Single mit der Adresse versehen. Als er nun heimkehrte, erwartete

VORHERIGE SEITE Depeche Mode, 1981.

LINKS Noch keine Pop-Poseure.

RECHTS „Das nennst du *Normal*?"

ihn bereits ein Berg von Demos. Da sein Interesse dadurch endgültig geweckt war, begann er, Avant-garde-Electronica-Singles von Acts wie Fad Gadget und Deutsch Amerikanische Freundschaft (DAF) zu veröffentlichen. Miller und Fad Gadget (alias Frank Tovey) bildeten auch die rein virtuelle Konzeptband Silicon Teens, bei der sie vorgaben, eine vierköpfige, ausschließlich auf Synthies vertrauende Truppe zu sein. *Music For Parties*, ihr Album von 1980, umfasste etliche Synth-Pop-Covers von altersgrauen Gassen-hauern wie etwa „Memphis, Tennessee".

„Wenn ich Präsident von EMI gewesen wäre, dann hätte ich eine Million Pfund dafür springen lassen – eine elektronische Popgruppe, bestehend aus zwei Jungs und zwei Mädchen", erklärte Miller später dem *NME*. „Also erfand ich eine."

Der 29-jährige Miller verschrieb sich damals ganz dem Electro-Pop und scheute Gitarren und gewöhn-liche Rock-Instrumentierung ebenso wie Vince Clarke. Als ihm bei seinem Besuch bei Rough Trade Compo-sition of Sound vorgestellt wurden und er ihr Demo anhören sollte, hätte das eigentlich ein Treffen Gleich-gesinnter sein müssen. Denkste!

„[Daniel] warf einen Blick auf uns und sagte ‚Igitt!', verließ das Zimmer und schlug die Tür zu", schilderte Dave Gahan diese Szene später im *Sounds*. Vince Clarke bestätigte dies im Gespräch mit Jonathan Mil-

> # „[Daniel] warf einen Blick auf uns und sagte ‚Igitt!', verließ das Zimmer und schlug die Tür zu."
>
> **GAHAN**

ler für *Stripped*. „Daniel hörte ungefähr fünf Sekun-den zu und sagte dann: ‚Nein!'" Daniel Millers eigene Erinnerungen an den Vorfall sind nicht so dramatisch. „[An diesem Tag] hatte ich ein technisches Problem mit einer Fad-Gadget-Plattenhülle", sagte er. „Ich sah [Composition of Sound] an und dachte, dass ich mir ihren Kram nicht sofort anhören müsste."

Composition of Sound ließen jedoch nicht locker. Sie schrieben und probten weiterhin neue Songs und traten regelmäßig im Bridge House auf. Als Live-Act

waren sie definitiv unkompliziert. Da sie keine Gitarren, Drums oder Amps am Start hatten, mussten sie sich nur ihre Keyboards schnappen und fuhren mit der U-Bahn zu ihren Gigs. Gore und Fletcher reisten direkt von ihren Bankjobs noch im Anzug an und zogen sich erst vor Ort ihre Bühnenoutfits über.

Ungefähr zu jener Zeit traf die Band eine wichtige Entscheidung. Composition of Sound hatte als Name ausgedient. Vor allem Dave Gahan war nie sonderlich angetan ob dessen Sperrigkeit und schlug vor,

den Namen einer französischen Modezeitschrift zu übernehmen: *Depeche Mode.* (Oft wird dies fälschlicherweise mit „schnelle Mode" übersetzt, obwohl es eher „Mode-Telegramm" heißen sollte.)

Vince Clarke, der ja schon mit Namensänderungen vertraut war, stand dem Vorschlag offen gegenüber: „Uns gefiel, wie die Worte klangen." Die Sache war besiegelt – von nun an hießen sie Depeche Mode.

Das zunehmende Interesse an der Band brachte ihr zwar auch einen Gig im legendären Ronnie Scott's

Jazz Club ein, doch ihr nächstes folgenschweres Treffen mit Stevo und Daniel Miller fand am 11. November 1980 im Bridge House statt.

Stevo, ein treuer Fan der Band, bearbeitete die Jungs nach wie vor, doch noch auf seiner Compilation *Some Bizzare* zu erscheinen, deren Veröffentlichung unmittelbar bevorstand. Außerdem wollte er die Band für sein Label.

Daniel Miller war hingegen gekommen, um den Headliner, Fad Gadget, zu sehen. „Fad Gadget hatten gerade ihren Soundcheck hinter sich gebracht, und normalerweise wäre ich mit ihnen abgezogen, doch aus irgendeinem Grund blieb ich da und sah mir diese Gruppe an, die wie eine dubiose New-Romantic-Band aussah", erzählte er Steve Malins für *Depeche Mode: Die Biografie*. „Ich hasste die New Romantics, aber was da aus den Lautsprechern drang, war unglaublich. Ich dachte: ‚Nun, jeder spielt zuerst den einen guten Song' – aber von da an wurde es immer noch besser."

Miller erkannte die Band nicht gleich als jene wieder, die er bei Rough Trade noch brüskiert hatte. Ihn sprachen ihre Jugend und ihr intuitiver Melodienreichtum an. Er empfand sie sogar als reale Entsprechung seiner virtuellen Electro-Pop-Gruppe Silicon Teens. Als er nach dem Konzert hinter der Bühne aufkreuzte, sagte Miller den Musikern, dass sie ihm gefielen und er eine Single von ihnen auf Mute veröffentlichen wolle.

„Es kam zu einer Art Gespräch, in dem ich wahrscheinlich sagte, dass sie eine richtig große Pop-Band sein könnten: ‚Ich halte das, was ihr macht für fantastisch – es ist echt innovativ, aber es ist immer noch Pop", vertraute er Jonathan Miller für *Stripped* an. Daniel sagte zudem, dass Mute noch nie einen großen Pop-Hit gehabt habe, aber sie es mit Depeche versuchen wollten. Die junge Band zeigte sich geschmeichelt, dass der Indie-Label-Boss vorschlug, ohne formellen Vertrag und probeweise eine Single zu veröffentlichen.

LINKS Stevos *Some Bizzare Album*.
RECHTS Matt Johnson von The The verkneift sich ein Lächeln.

Nachdem sie monatelang von der Musikindustrie abgelehnt worden waren, fanden sich Depeche plötzlich inmitten eines kleinen Wettbietens wieder, da auch Stevo immer noch an einer Zusammenarbeit interessiert war. Zum Glück einigten sich die Parteien letztlich doch noch freundschaftlich.

„Ich ging bei einem dieser frühen Gigs hinter die Bühne und sagte Daniel, dass ich Depeche Mode erklärt hätte, er sei ein netter Typ und sie sich für ihn entscheiden sollten", erklärte Stevo in *Depeche Mode: Die Biografie*. „Ich sagte ihnen, dass ich Daniel für sehr ehrlich und vertrauenswürdig hielte."

Diesem kooperativen Geist war es auch geschuldet, dass Miller die Band nicht nur „Photographic" zu Stevos Compilation *Some Bizzare* beisteuern ließ, sondern auch anbot, den Track höchstpersönlich zu produzieren. Dafür fanden sie sich Ende 1980 in einem Studio im Londoner East End ein. Damals bestand Depeche Modes Ausrüstung aus drei billigen Synthies und einem für wenig Geld gemieteten Drumcompu-

ter. Miller brachte auch seinen ARP 2600-Synthie mit. Er erinnert sich, wie begeistert Clarke von dessen analoger Sequencer-Funktion war, die erlaubte, Noten zu programmieren, anstatt sie selbst live zu spielen. „Vince war hin und weg – und so wurde der ARP ein integraler Bestandteil der Frühphase von Depeche Mode", sagt Miller in *Stripped*. „Sie fuhren sofort darauf ab."

Die Compilation *Some Bizzare* erschien im Februar 1981, und Depeche Mode befanden sich darauf in guter Gesellschaft. Stevos Sampler enthielt noch drei weitere zukünftige Chartstürmer: das damals noch ätherische, später abgeschmackte Synth-Pop-Duo Blancmange, die intellektuellen wie instinktiven The The und Soft Cell (mit „The Girl With The Patent Leather Face"). Chris Bohn lobte im *NME* Depeche Modes Beitrag als „sehr selbstsicher und hübsch strukturiert". *New Sounds New Styles* unterhielt sich mit ihnen und strich dabei heraus, dass ihr Song auf dem Sampler der mit Abstand peppigste sei. „Vince schreibt keine traurigen Nummern", erklärte Dave Gahan.

Tatsächlich war es Depeche Modes argloser Optimismus, der Daniel Miller an ihnen am besten gefiel, da es ihn an fleischgewordene Silicon Teens erinnerte. Auch erklangen nun sirenenhafte Stimmen, die versuchten, die Band von Mute wegzulocken.

Mit Anbruch der Achtzigerjahre begannen die großen Plattenfirmen, ihre Fühler nach jeder elektroni-

> # „Emotionsloser Gesang, programmierte Rhythmus-Versatzstücke und eine zuckersüße Melodie ergeben in Summe drei sehr angenehme Minuten."
>
> **CHRIS BOHN,** *NME*

schen Band auszustrecken, die nur irgendwie mit der aufkommenden New-Romantic-Szene in Verbindung stand. *Some Bizzare* rückte auch Depeche Mode in ihren Fokus. Es kam zu Meetings und sogar Angeboten über beachtliche Summen, doch sie standen zu ihrer Entscheidung und blieben bei Mute. „Dort haben wir bessere Chancen … Daniel war mit Silicon Teens erfolgreich, und wir verbreiten ein ähnlich leichtgewichtiges Flair", erklärte Vince in *Sounds*.

Zwar schien alles gut für Depeche Mode zu laufen, doch verloren sie nicht den Boden unter den Füßen. Gahan studierte weiterhin an der Kunsthochschule und war immer noch Schaufensterdekorateur. Gore und Fletcher waren Bankangestellte. Der ehrgeizige Vince Clarke blieb der Motor der Band und schrieb auch ihre erste Single für Mute. Im Dezember 1980

UNTEN Gore und Gahan gaben ihre Jobs noch nicht auf.
RECHTS Depeche Mode hatten 1981 ein Valentinstag-Date mit Ultravox.

begab sich die Band in die Blackwing Studios, die sich in einer ehemaligen Kirche in Southwark im Süden Londons befanden.

Clarke war begeistert davon, mit einem 16-Spur-Gerät aufzunehmen. Daniel Miller produzierte erneut, und so entstanden innerhalb von zwei Tagen „Dreaming Of Me" und die B-Seite „Ice Machine". Clarke verbrachte fast die gesamte Session im Studio, um von Miller zu lernen. Die anderen Mitglieder schlossen sich ihnen dann an den Abenden an.

Die Entstehung von „Dreaming Of Me" mag vielleicht eher bieder und pragmatisch verlaufen sein, doch auf den Song selbst traf dies mit Sicherheit nicht zu. Vom ersten roboterhaften Drumbeat an ein filigraner Synth-Genuss, begeisterte die Nummer auch durch Gahans kräftige Stimme, die über eine minima-

listische, aber verführerische Melodie hinwegzugleiten schien. „Ice Machine" versprühte einen ähnlich nebulösen Charme. Es war der erste Hinweis darauf, dass Depeche Mode etwas Besonderes wären – auch wenn sie immer noch auf ein wenig unbeholfene Weise nach ihrem Weg suchten.

Das Interesse wuchs an. Am Valentinstag 1981 traten Depeche im Rainbow Theatre auf, das die beiden Electro-Pop-Promoter Steve Strange und Rusty Egan für einen Abend in „The People's Palace" umbenannt hatten. Dort spielten sie vor Ultravox, die damals mit „Vienna" den zweiten Platz in den UK-Charts belegten.

Eine Woche später veröffentlichte Mute „Dreaming Of Me", das von Chris Bohn im *NME* ein wenig zweideutig gelobt wurde: „Emotionsloser Gesang,

programmierte Rhythmus-Versatzstücke und eine zuckersüße Melodie ergeben in Summe drei sehr angenehme Minuten." Die Single wurde auch in den abendlichen Alternative-Shows auf BBC Radio 1 gespielt und durfte vier Wochen nach der Veröffentlichung mit Platz 57 sogar ein wenig Chart-Luft schnuppern.

Nichts ist in der Plattenbranche wichtiger als ein Hit. Seymour Stein von Sire Records, der die Ramones und Talking Heads unter Vertrag genommen hatte und bald schon Madonna an Land ziehen würde, lief bei einem Kurzbesuch in London bei Rough Trade Daniel Miller über den Weg, der ihm sogleich Depeche Mode ans Herz legte.

Der Label-Magnat beeindruckte die Band, indem er sie nicht in einem protzigen Sitzungsraum traf, sondern bei ihrem Gig in Sweeney's Disco in Basildon auftauchte. „Wir hatten nicht mal eine Garderobe", sagte Fletcher später. „Wir trafen ihn auf der Treppe." Stein hatte zuvor schon Millers The-Normal-Single und Fad Gadget in den USA vertrieben und war begeistert von Depeche Modes Potenzial, weshalb er sie für Amerika unter Vertrag nahm.

Nun musste nur noch ein Album her. Im Sommer 1981 – unterbrochen von gelegentlichen Gigs – nahmen Depeche ihre Debüt-LP in den Blackwing Studios in Angriff. Da Gore und Fletcher sich immer noch als Lohnsklaven verdingten und Gahan nach wie vor studierte, blieb ihr gehabter Tagesverlauf unverändert. „Ich war tagsüber im Blackwing, um Vince ein bisschen mit der Technologie und den Sounds zu helfen", erinnerte sich Miller gegenüber Steve Malins. „Dann kamen Fletch und Mart nach der Arbeit in ihren dubiosen Anzügen vorbei und zeigten sich viel mehr daran interessiert, ihre mitgebrachten Fressalien zu verputzen und am Videospielautomaten zu zocken."

Doch offenbar kam das Clarke ganz gelegen. Dieser geborene Einzelgänger, der auch zum Control-Freak neigte, setzte sein wachsendes Song-Arsenal mittels Synthies und Sequencern am liebsten solo um. Und zum Glück für Depeche Mode verwandelte sich, was er anfasste, zu Gold.

So ergaben Clarkes Song-Skizzen in Summe ein beherztes Upbeat-Album mit optimistischem Electro-Pop, dessen Vorbote bestätigte, wie groß Depeche Mode werden könnten. Die zweite Single für Mute, „New Life", stellte gegenüber der Vorgängerin einen Quantensprung dar. Wie ein zarter Windhauch baute sich die Nummer mit einer schwer zu definierenden Dringlichkeit um ein zuckendes, abso-

> # „Dann kamen Fletch und Mart nach der Arbeit in ihren dubiosen Anzügen vorbei und zeigten sich viel mehr daran interessiert, ihre mitgebrachten Fressalien zu verputzen und am Videospielautomaten zu zocken."
>
> **MILLER**

OBEN Vince Clarke bei einer Poolparty, 1981.
LINKS Feuert den Stylisten!

lut unwiderstehliches Synth-Riff herum auf. Kurzum, dies klang nach einem Song, den Radio 1 auf und ab spielen würde. Und so kam es auch.

Im Juni – in derselben Woche, in der Depeche bei einer Session für DJ Richard Skinners Abendshow auf Radio 1 seltsamerweise auf ihre neue Single verzichteten – wurde „New Life" veröffentlicht und schaffte es direkt in die Charts. Vier Wochen später stieg die Single auf Platz 11. Dieser Durchbruch brachte den ersten Auftritt bei *Top Of The Pops* mit sich. Wie üblich fuhren die vier mit öffentlichen Verkehrsmitteln und transportierten ihre Synthies quasi unterm Arm.

In ihren schwarzen Lederhosen mit Patronengurten und Fletcher sogar mit Biker-Kappe – so performte die Band rund um den sich nervös windenden Gahan zum Playback der Show. Zwar noch Teenager, doch nun plötzlich auch Popstars. Mit „New Life" waren Depeche Mode angekommen – doch worum ging es eigentlich inhaltlich?

Die Antwort lautete: um gar nichts! „Vince' Songs sind eigen, weil sie nichts bedeuten", gestand Martin Gore. „Er findet eine Melodie und sucht dann nach Worten, die sich reimen." Clarke hat dies gar nie erst abzustreiten versucht: „Die Songs hatten keine Botschaft, nicht im Geringsten!", bekannte er in Jonathan Millers *Stripped*. „Das waren ganz dumme Texte."

Dumm oder nicht, „New Life" verzückte dennoch genug Popfans, um während des 15-wöchigen Chart-Aufenthalts über eine halbe Million Tonträger abzusetzen. Als die Single schließlich abgerutscht war, beschlossen Gore und Fletcher, dass Depeche Modes offenbar rosige Zukunft es rechtfertige, ihre bürgerlichen Jobs zu kündigen. Dave Gahan gab das Studium in Southend und seine Arbeit als Dekorateur auf. Letztere hängte er an den Nagel, als ein Kaufhaus im Londoner West End von weiblichen Fans gestürmt wurde, die ihn im Schaufenster arbeiten sahen.

Gerade mal sechs Monate, nachdem sie ihren ersten Sequencer bestaunt hatten, waren Depeche Mode Vollzeit-Popstars – und die Hits rissen nicht ab. Nach seiner Veröffentlichung im September landete „Just Can't Get Enough", eine weitere betörende Perle aus der Feder Clarkes, sogar auf Platz 8. Die Vorfreude auf ihr Debütalbum *Speak & Spell*, das am 5. Oktober erscheinen sollte, war groß. Die Scheibe steckte in einem so verstörenden wie mysteriösen

Mit Ultrapop bei *Top Of The Pops*, 1981.

„Überschäumend und kurz,
so wie Pop im Idealfall
nun mal ist."

RECORD MIRROR

Speak & Spell

TRACK LIST

SEITE EINS
New Life
I Sometimes Wish I Was Dead
Puppets
Boys Say Go!
Nodisco
What's Your Name?

SEITE ZWEI
Photographic
Tora! Tora! Tora!
Big Muff
Any Second Now (Voices)
Just Can't Get Enough

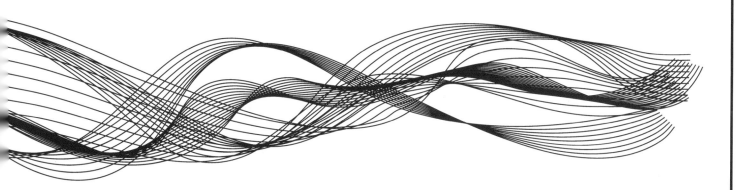

Aufnahmeort: Blackwing Studios, London, England

Produziert von: Daniel Miller & Depeche Mode

Besetzung:
Dave Gahan: Lead Vocals
Martin Gore: Keyboards, Backing Vocals, Lead Vocals bei „Any Second Now (Voices)"
Andy Fletcher: Keyboards, Backing Vocals
Vince Clarke: Keyboards, Drumcomputer, Backing Vocals, Gitarre

Covergestaltung: Brian Griffin: Fotografie

Veröffentlichung: 5. Oktober 1981

Label: Mute STUMM 5

Höchste Chartposition:
UK 10, GER 49, SWE 21, US 192

Hinweis:
Als das Album 1981 auf Kassette im damaligen Jugoslawien veröffentlicht wurde, fehlte der Track „I Sometimes Wish I Was Dead". Der Fehler wurde später bemerkt, und es kam zu einem Reissue mit rund 500 Exemplaren, diesmal mit besagtem Track. Die ursprüngliche Veröffentlichung mit einem Track weniger ist heute heiß begehrt.

Cover, dessen Vorderseite ein Bild von einem Schwan in einer Plastiktüte zeigte, und bot darüber hinaus eine effiziente Lektion in Sachen „U.P.", wie es Vince Clarke selbst nannte: „Ultrapop".

Die Singles sowie „Photographic" stachen zwar heraus, doch pulsierte das Album in seiner Gesamtheit nur so vor süßlich-melodischer Intensität. Nur die beiden Gore-Kompositionen „Tora! Tora! Tora!" und das Instrumental „Big Muff" wirkten etwas ominöser. Die Platte war fröhlich, regte aber kaum zum Nachdenken an. *Sounds* schrieb von einem „absolut unge-künstelten Pop-Soufflé". Der *Melody Maker* lobte, dass das Album „vor Leben nur so sprudle". Auch der *Record Mirror* schwärmte: „Überschäumend und kurz, so wie Pop im Idealfall nun mal ist." Zwar fielen diese Kritiken positiv aus, doch neigte die britische Presse dazu, Depeche Mode als begabt, aber auch letztlich inkonsequent zu charakterisieren.

Im *NME* jedoch pries der einflussreichste Musikjournalist jener Tage, Paul Morley, ausgerechnet ihre Tiefgründigkeit, die er unter der glänzenden Oberfläche erkannte. Er lobte einerseits ihren „üppigen, albernen, zugänglichen Electro-Pop", spekulierte aber auch, dass Depeche Mode wohl in der Lage seien, viel mehr als „vage sarkastische Jingles" zu fabrizieren. Sein – angesichts der „ganz dummen Texte" – eher gewagtes Fazit lautete: „Depeche Mode bringen ein gewisses Niveau in den Teenie-Pop ein."

Kritikerlob schön und gut, aber Depeche Mode waren eine Popgruppe: Von Anfang an wollten sie Hits. Und die sollten sie haben. *Speak & Spell* schaffte es in den Albumcharts gleich auf Platz 10 – ein bemer-

kenswerter Erfolg, der der Band wohl Anlass zur ausgelassenen Freude hätte geben können. Doch leider lag etwas ganz schön im Argen.

Da er eher ein Studio-Tüftler und Pop-Handwerker war, empfand Vince Interviews und Promo-Termine als unnötige Ablenkung, die ihn von seinen geliebten Keyboards und Sequencern fernhielt. Diese Einstellung stand im krassen Gegensatz zum Rest der Band, deren anfänglicher Enthusiasmus zur Folge hatte, dass sie Journalisten und Fotografen nur allzu gern alle Wünsche erfüllten. Grimassen schneiden für *Smash Hits*? Klar! Der Tiefpunkt war für Clarke schließlich erreicht, als Depeche Mode von Pop-Schreiberling Rick Sky vom *Daily Star* gefragt wurden, ob es für Popstars ein Vorteil sei, gut auszusehen. Clarke antwortete, dass es überhaupt einen Vorteil darstelle. Daraus konstruierte das Revolverblatt: „Hässliche Bands kommen in diesem Geschäft nicht weit." Angesichts dieses falschen Zitats weigerte sich Clarke angeblich eine Woche lang, das Haus zu verlassen.

Clarke, der sich fortan den medialen Pflichten verwehrte, missbilligte, dass Gahan, Gore und Fletcher weiterhin den Spielregeln folgten und gegenüber den perfiden Possen der Presse gleichgültig schienen. Während die treibende Kraft der Band vor sich hin grübelte, tat sich langsam eine Kluft auf. Dies fiel Daniel Miller auf, als er sich der Band unmittelbar vor dem Erscheinen des Albums zu einer kurzen ersten Europa-Tour anschloss. „Zwischen Vince und den anderen kam es zum Zerwürfnis", erinnert er sich. „Irgendwann sprachen sie nicht einmal mehr miteinander."

Der anfängliche Riss wurde zum unüberwindbaren Abgrund. Als die Gruppe nach Basildon zurückkehrte, besuchte Clarke der Reihe nach jedes einzelne Mitglied der Band, um ihnen mitzuteilen, dass er die Band verlassen werde. Allerdings betonte er, die Gruppe nicht schlagartig im Stich lassen zu wollen. Wenn es in ihrem Sinne sei, werde er noch die bevorstehende UK-Tour mitmachen, um *Speak & Spell* zu promoten.

Tatsächlich bedeutete Clarkes Entscheidung keinen Schock für die Band. Schließlich war er seit Wochen sehr nachdenklich und nervös gewesen, vor allem seit dem falschen Zitat im *Daily Star*. Mit seinen Bandkollegen hatte er während der Europa-Tour kaum ein Wort gewechselt.

„Die allgemeine Stimmung war richtig mies", erklärte Fletcher gegenüber Steve Malins. „Auf der

LINKS Depeche Mode in Nottingham, 1981.
UNTEN Der „zum Glück nicht hässliche" Dave Gahan, The Lyceum, London, 1981.

„Depeche Mode bringen ein gewisses Niveau in den Teenie-Pop ein."

PAUL MORLEY, *NME*

einen Seite wir drei und Vince ganz für sich. Ihm kam es so vor, als würden wir zum öffentlichen Besitz werden. Es gefiel ihm nicht, was mit Depeche Mode geschah. Er war nicht gern berühmt und ging nicht gern auf Tour."

Trotz allem war das jedoch ein herber Rückschlag. Vince war schließlich von Anfang an der Motor gewesen und der Klebstoff, der die Band zusammenhielt. Er war ihr Anführer und vor allem auch ihr wichtigster Songwriter. Viele Bands wären an einer solchen Krise zerbrochen.

Vor allem den sonst so vorsichtigen Gore und Fletcher hätte man verziehen, hätten sie die Nerven verloren. Schließlich hatten sie gerade erst ihre Jobs gekündigt, um sich voll auf die Band zu konzentrieren. Doch riefen sie nun panisch bei ihren alten Arbeitgebern an? Nein. Sie hatten das Popstar-Leben aus der Nähe erlebt und wollten nun die Flinte nicht ins Korn werfen. Stattdessen einigten sie sich auf eine neue Arbeitsverteilung. Fletcher würde sich um das Administrative und das Management kümmern, so wie das vor ihm auch Clarke getan hatte. Gore hingegen würde ab jetzt die Songs beisteuern.

„Keiner wollte die Band auflösen", bestätigte Daniel Miller Jahre später. „Alle wussten, dass Martin ein richtig guter Songwriter war. Schon auf Vince' Tracks waren seine melodischen Beiträge wirklich gelungen."

„Vermutlich überraschte Vince unsere Reaktion ein wenig", sagte Gahan 1982 in Sounds. „Aber wir waren einigermaßen vorbereitet."

Drei Wochen nach der Veröffentlichung von Speak & Spell gingen Depeche (mit Blancmange als Vorgruppe) auf UK-Tour. Auch Clarke war mit von der Partie. Die Fans wussten jedoch nicht, dass sein Ausstieg unmittelbar bevorstand. Die Stimmung im Tourbus hätte durchaus angespannt sein können, doch die alten Freunde verhielten sich weiterhin kollegial.

Auf der Bühne wirkten Depeche Mode noch immer nicht ganz sattelfest. Ihr Image – ein Mix aus Leder, Schnickschnack und billigen Accessoires – rief einen unkoordinierten Eindruck hervor. Als Bühnenshow machten die drei Synthies und das schüchterne Gehabe von Clarke, Gore und Fletcher nicht viel her. Zum Glück war da wenigstens der charismatische Gahan, der sich zu einem ansprechenden Frontmann mauserte.

Und dennoch gelang es ihnen, das Publikum in einen Zustand der „Entrückung" zu versetzen, wie Barney Hoskyns im NME schrieb: „Mein Kollege merkte an, dass man zu Depeche Mode nicht wirklich tanze, sondern vielmehr auf den direkten Impuls ihrer Apparate hin reagiere/zucke."

Die Tour endete Mitte November mit zwei Konzerten im Londoner Lyceum. Knapp zwei Wochen später – hatten sie etwa auf einen Stimmungswandel gehofft? – verkündete Mute, dass Vince Clarke die Gruppe verlassen habe. Die Pressemitteilung sprach von einer freundschaftlichen Trennung, und es hieß, Vince sei auch weiterhin bereit, Songs beizusteuern und mit Depeche Mode zusammenzuarbeiten. Die verbliebenen Bandmitglieder sahen das eher skeptisch.

„Freundschaftlich verlief da gar nichts", räumte Gahan Jahre später ein. „Auf beiden Seiten herrschte Groll. Bis sich das wieder legte, sollte ungefähr ein Jahr vergehen."

Depeche Mode waren eine blutjunge Band, die sich nun eine neue Identität erarbeiten musste – fortan aber ohne jenen Mann, der als Gehirn, Herz und Seele gegolten hatte. Eine fast nicht zu bewältigende Aufgabe.

Rückblickend verblüfft es, wie stoisch die verbliebenen Mitglieder weitermachten. „Vielleicht hätten wir uns ja etwas mehr Sorgen machen sollen", gab Martin Gore später zu. „Aber das ist vermutlich das Gute daran, wenn man jung ist ... wären wir in Panik ausgebrochen, wären wir wohl heute nicht hier."

Da waren es nur noch drei: Depeche Mode nach Vince.

3

AUF ENGEM RAUM

Depeche Mode blieb keine Zeit, um auf der faulen Haut zu liegen. Am Horizont bahnte sich ihr erster Amerika-Trip an. Gerade zwei Monate waren seit der offiziellen Erklärung über Clarkes Ausstieg vergangen, da sollte die Gruppe schon an zwei Abenden im Januar auf Drängen Seymour Steins hin in New York auftreten, um den US-Release von *Speak & Spell* zu promoten. Das Loch, das Vince hinterlassen hatte, musste gestopft werden – und zwar schnell.

Gahan, Gore und Fletcher gaben eine kleine Anzeige im *Melody Maker* auf, wo britische Bands traditionell Verstärkung rekrutierten. Kurz und sachlich stand da:

BEKANNTE BAND SUCHT SYNTHESIZER-MANN, MUSS UNTER 21 SEIN.

Die Anzeige rief etliche Bewerber auf den Plan, von denen wohl viele in derselben Ausgabe vom Ausstieg Vince Clarkes erfahren hatten und nun eins und eins zusammenzählten. Depeche probierten Dutzende Anwärter aus, von denen zwar viele dem gängigen Dresscode entsprachen, aber leider jegliches musikalische Können vermissen ließen. Ein Bewerber schien jedoch viel mehr bieten zu können, als von ihm erwartet wurde.

Alan Charles Wilder, geboren am 1. Juni 1959 in Hammersmith im Westen Londons, hatte sich zunächst über die wichtigste Vorgabe hinweggesetzt, schließlich war er mit seinen 22 ½ Lenzen schon ein halber Greis. Auch sein Background unterschied ihn markant von den Basildoner Jungs. So stammte der jüngste von drei Söhnen einer Familie aus der Mittelschicht. Wilder war musikalisch begabt, spielte Klavier und Flöte und hatte an seiner Schule in Shepherd's Bush bei der Blechmusik und im Orchester gespielt. Und er sollte als Pianist sogar den achten und höchsten Grad des ABRSM (Associated Board of Royal Schools of Music) erreichen. Doch trotz seines Talents interessierte ihn die Schule an sich nicht sonderlich, und er bestand nur drei O-Levels (mittlere Reife in drei Fächern). Er besuchte zwar weiterhin die

„Meine Eltern rieten mir, mich bei Aufnahmestudios zu bewerben. Ich bin vermutlich 40 Mal abgelehnt worden."

WILDER

Schule, um sich auf das Abitur vorzubereiten, brach dann jedoch nach nur einem Jahr ab. Er stieß seine Eltern vor den Kopf, indem er es vorzog, von der Arbeitslosenhilfe zu leben.

Anders als seine älteren Brüder, beides an Bach und Mozart interessierte klassisch ausgebildete Musiker, war Wilder durch den Glam Rock von Marc Bolan und Bowie in die Wunderwelt der Popmusik eingeführt worden. Schon als junger Mann wusste er, dass er in der Musikbranche Fuß fassen wollte.

Leichter gesagt, als getan. „Nachdem ich 1975 die Schule verließ, war ich ständig arbeitslos", erklärte er Steve Malins. „Meine Eltern rieten mir, mich bei Aufnahmestudios zu bewerben. Ich bin vermutlich 40 Mal abgelehnt worden."

Beim 41. Mal klappte es aber, und er wurde Tape Operator – ganz unten in der Studio-Hierarchie – in den DJM Studios in der New Oxford Street im Zentrum Londons. Wilder machte sich mit der Technologie vertraut, traf mit den Rubettes echte Popstars und beschloss, selbst Musiker zu werden. Seine anschließende Karriere verlief ereignisreich – und gleichzeitig auch irgendwie nicht.

Er traf die Softrock-Band Dragons im Studio und schloss sich ihnen als Keyboarder an, woraufhin er nach Bristol zog. The Dragons veröffentlichten die Single „Misbehavin'" und traten als Vorgruppe von The Damned auf, lösten sich dann aber auf. Wilder zog zurück nach London und nannte sich fortan Alan Normal, um sich der New-Wave/Power-Pop-Band Dafne and the Tenderspots anzuschließen. Als Nächstes kamen die weiße Reggae-Band Real to Real und die Rockband Hitmen.

Die Hitmen hatten sich gerade aufgelöst, als Wilder besagte Anzeige im *Melody Maker* erspähte. Er hoffte, mit seinem Können seine mangelnden Genre-Kenntnisse – und sein fortgeschrittenes Alter – kompensieren zu können. Nachdem ihm zuerst Daniel Miller auf den Zahn gefühlt hatte, überraschte ihn bei seinem Vorspielen dann das nur rudimentär vorhandene musikalische Können der Gruppe.

„Bevor ich bei Depeche Mode einstieg, wusste ich nichts über elektronische Musik", gestand er Steve Malins. „Aber ich konnte sofort mit ihnen mithalten." Wilders Musikalität – und sein unbeeindrucktes Auftreten ihnen gegenüber – gefiel Depeche, die es leid waren, mit hingebungsvollen Fans zu proben, die nicht spielen konnten. Dennoch beschrieb der Keyboarder dieses erste Aufeinandertreffen später als „knifflig".

„Ich bin aus der Mittelschicht, und sie waren diese Arbeiter-Jungs", sagte er. „Musikalisch fand ich sie ein wenig naiv, aber auch irgendwie interessant – und ich befand mich in einer derart verzweifelten Lage, dass ich so ziemlich alles angenommen hätte."

Wilder empfand die Jungs zunächst als äußerst schüchtern und konnte nicht einmal mit ihrer Musik besonders viel anfangen. Doch mochte er sie und war absolut einverstanden, als sie ihm erklärten, kein gleichberechtigtes Vollzeit-Mitglied zu suchen, aber ihn für ihre Touren als Keyboarder engagieren zu wollen. Wie alt er war, wussten sie da immer noch nicht …

Wilders Dienste waren somit nicht gefragt, als Depeche Ende 1981 in die Blackwing Studios zurückkehrten, um eine neue Single einzuspielen. Da ansonsten keiner aus der Band zu diesem Zeitpunkt den Anspruch erhob, Songs zu schreiben, lag es an Martin Gore, den Weg in die Zukunft zu ebnen. Dies erfolgte, indem er noch einmal die Vergangenheit aufrief, denn die Single „See You" basierte auf einem Song, den er für sein einstiges Duo Norman & The Worms geschrieben hatte. Doch verwandelte sich die Nummer im Studio dann unter der Aufsicht von Produzent Daniel Miller in etwas völlig anderes.

„Martin brachte diesen Song mit, der sehr einfach gestrickt war. Er bestand bloß aus einer Melodie am Casio-Synthie, zu dem er mit dem Fuß einen Beat ergänzte", erinnert sich Miller. „Der Song war bereits vorhanden, aber in puncto Arrangement und Sound gab es noch kein Anzeichen dafür, wohin die Reise gehen würde. Das war ganz anders als mit Vince, der viel genauer wusste, was er wollte. Aber die Atmosphäre im Studio war sehr aufgeregt und ziemlich positiv."

Gore hatte unlängst ein paar seiner Tantiemen in einen PPG Wave 2 investiert, einen relativ teuren analogen/digitalen Hybrid-Synthie aus Deutschland. Im Vergleich zur ansonsten eher primitiven Ausrüstung der Band war dies ein topaktuelles Gerät, das es Gore erlaubte, verschiedene Noten und Töne zu modifizieren und zu sequenzieren. Als er diese Technik auf die akustische Vorlage anwandte, wurde „See You" zu einem glänzenden Juwel. Ein strahlendes Synthie-Schimmern untermalte eine makellose Melodie, während die Lyrics im Kontrast zu *Speak & Spell* einen zaghaften Schritt vorwärts zu bedeuten schienen. „Im Mittelteil heißt es: ,Ich weiß, fünf Jahre sind lang, und Zeiten ändern sich/Aber ich hoffe, du gehst davon aus, dass man im Kern so bleibt, wie man ist'", zitierte Gore in *New Sounds New Styles* seinen Song über den Versuch, eine verlorene Liebe wieder zu entfachen. „Er ist gelungen – ernst, aber witzig. Er gefällt mir, weil diese Worte nicht oft in Songs vorkommen. So reden die Leute aber nun einmal." Mochte Gores Erklärungsversuch auch ein wenig unbeholfen und naiv wirken, so traf dies ebenfalls auf die Lyrics zu. Doch zumindest machte er sich wenigstens Gedanken dazu, was gegenüber Clarkes desinteressiertem Ansatz schon eine Weiterentwicklung bedeutete.

Alan Wilder spielte seine erste Show mit Depeche Mode Anfang 1982 im Croc's in Rayleigh. Ein paar Tage später flog die Band zum ersten Mal nach Amerika, um am 22. und 23. Januar im New Yorker Ritz aufzutreten. Der Trip war kein uneingeschränkter Erfolg. Nachdem sie am Vorabend des Fluges „See You" bei *Top Of The Pops* performt hatten, buchte Daniel Miller die Band auf die Concorde, damit sie beiden Verpflichtungen nachkommen konnte. Der Überschallflug war zwar spannend, doch litten Depeche Mode bei ihren beiden Gigs in New York unter Jetlag und wirkten desorientiert, was noch durch Equipment-Pannen verschärft wurde.

Doch waren beide Shows überaus gut besucht und wurden wohlwollend aufgenommen, obwohl sich die

LINKS Depeche Mode in New York, Januar 1982.
RECHTS Jetlag und desorientiert?

hippe und eigentlich anglophile US-Musikzeitschrift *Trouser Press* ambivalent gab: „Depeche Mode bedienen sich mit fast fehlerfreier Präzision bei kommerziell orientierten Song-Formeln", schrieb der Kritiker. „Drei Minuten davon können schon ganz amüsant sein, aber wenn es mehr ist, dann wird man sich auch ihrer Grenzen bewusst. Eine simple, vorhersehbare Sound-Palette (nur Synthies) macht die Sache noch problematischer."

Depeche mussten die USA zwar erst noch knacken, doch unter den britischen Pop-Kids erfreute sich die Band wachsender Beliebtheit. „See You", das nach ihrer Rückkehr veröffentlicht wurde, avancierte schnell zu ihrem bis dahin größten Hit mit Platz 6 in den Charts, während sie die Truppe startklar machten, um auf UK-Tour zu gehen. Allerdings kämpfte der Song mit einem unerwarteten Konkurrenten um Chart-Erfolg und Airplay, einem nur allzu vertrauten Gesicht aus Depeche Modes unmittelbarer Vergangenheit.

Nachdem er die Band nur Wochen zuvor verlassen hatte, deckte sich der Workaholic Vince Clarke mit noch mehr Synthesizern und einem Sequencer ein und schrieb zuhause neue Songs. So war eine einschmeichelnde,

„Vermutlich waren wir irgendwie eifersüchtig, ehrlich gesagt. Der erste Song [von Yazoo], ‚Only You', war ein Track, den er uns geben wollte. Ich wies ihn ab – und dann wurde daraus natürlich ein großer Hit."

GAHAN

melancholische Nummer namens „Only You" entstanden. Zwar hatte er den Song zuerst Depeche angeboten, doch die Gruppe wies ihn ab, da er nach ihrer Meinung zu sehr anderen aktuellen Tracks ähnle. Unbeirrt sah sich ihr einstiger Leader deshalb anderswo um.

Clarke trat daraufhin mit einem anderen bekannten Gesicht aus der Basildoner Musikszene in Kontakt, nämlich der ehemaligen Punk-Sängerin Alison Moyet aus dem nahen Billericay, die „Only You" liebte und dem Song mit ihrer schmachtenden Interpretation eine ganz andere Dimension verlieh. Als Duo nannten sie sich fortan Yazoo, und Miller veröffentlichte ihre Single im April auf Mute. Die Verkäufe blieben anfangs überschaubar, doch „Only You" schaffte es immerhin in die unteren Bereiche der Charts, setzte sich dort fest, nahm dann plötzlich Schwung auf und kletterte letztendlich bis auf Platz 2 – direkt hinter Nicoles englischer Version ihres rührseligen Songcontest-Siegerlieds „Ein bisschen Frieden".

Depeche Modes *See You*-Tour hatte sich inzwischen ihren Weg durch Europa gebahnt und nun für acht Konzerte nach Amerika übergesetzt. (Dave Gahan trug nach der Entfernung mehrerer Tattoos einen Arm in der Schlinge.) Tausende Kilometer von zuhause entfernt, waren sie sich des Erfolgs ihres früheren Mitstreiters dennoch mehr als bewusst – vor allem, da sich ihr jüngstes Werk zurzeit nicht so gut verkaufte.

Depeche Modes fünfte Single, Martin Gores „The Meaning Of Love", war zwar hübsch, aber auch ziemlich belanglos und ganz sicher kein Fortschritt gegenüber „See You", womit auch ihr Lauf ein Ende fand, jede neue Single weiter oben in den UK-Charts zu platzieren. Bei Platz 12 war dieses Mal Schluss. All dies führte zu einer inoffiziellen, aber intensiven langjährigen Mute-internen Rivalität zwischen Depeche und Clarke, die noch anhielt, als beide Acts bereits stratosphärische Höhen erreicht hatten.

LINKS Yazoo: „Wir haben einen Riesen-Hit!"
UNTEN Depeche Mode: „Oh."

„Es gab diese Konkurrenz, und ich versuchte, alle fair zu behandeln", räumte Daniel Miller in *Depeche Mode: Die Biografie* ein. „Depeche Mode machten großartige Platten – und Yazoo auch."

„Obwohl es Probleme gab, ließ es keine Seite zum Eklat kommen. Keiner sagte etwa: ‚Nun, wenn der auf dem Label ist, dann gehen wir', oder irgendetwas in der Art. Es herrschte jetzt kein Zickenkrieg."

„Vermutlich waren wir irgendwie eifersüchtig, ehrlich gesagt", sollte Gahan Jahre später dem *Rolling Stone* anvertrauen. „Der erste Song [von Yazoo], ‚Only You', war ein Track, den er uns geben wollte. Ich schlug ihn aus – und dann wurde daraus natürlich ein großer Hit."

Die unbestrittenen Spannungen zwischen den beiden Lagern verschlimmerten sich noch, als Yazoos nächste Single „Don't Go" erneut in die Top 3 der britischen Charts schoss. Depeche Mode begaben sich währenddessen im Juli 1982 in die Blackwing Studios, um ihr zweites Album in Angriff zu nehmen. Zumindest tat das der Großteil von ihnen.

Das mit Abstand musikalischste Mitglied ihres Acts, Alan Wilder, der nun mit ihnen bereits durch Großbritannien, Europa und die USA getourt war (und schließlich sogar sein wahres Alter gestand), hatte gehofft, zur Entstehung der Platte beitragen zu dürfen. So sollte es leider nicht kommen. Er war als Live-Mitglied angeheuert worden, und fürs Erste sollte er genau das bleiben.

„Als die zweite LP anstand, hatte ich bereits meinen Teil beigetragen und dachte, dass dies eine Beteiligung gerechtfertigt hätte", erinnerte er sich 2001 gegenüber *Uncut*. „Ich wollte mich einbringen – und sie winkten ab." (Konfliktscheu wie sie waren, überließen sie es Daniel Miller, Wilder davon zu unterrichten.)

„Das Problem war, dass sie sich etwas beweisen mussten. Die drei Jungs wollten nicht, dass die Presse sagte, sie hätten einen Musiker hinzugezogen, der nach Vince' Ausstieg alles einfacher für sie gemacht habe. Ich war ziemlich sauer – und dann herrschte meinerseits böses Blut."

Wilders Fassungslosigkeit war verständlich – aber auch Gore, Gahan und Fletchers Skepsis. So hatte man sie

LINKS In der britischen TV-Show *The Tube*: offenbar in guten Händen!
OBEN Mart und sein Hund, 1983.

zunächst nur als dekorative Beigabe zu Vince Clarkes genialer musikalischer Vision wahrgenommen. Seine Kontrollsucht und sein dominanter Führungsstil konnten einen schon einschüchtern. „Vince wollte im Studio immer sehr viel machen, und der Rest von uns fühlte sich eingeschränkt", sagte Fletcher im Gespräch mit *New Sounds New Styles*. „Wenn uns eine Idee kam, hatten wir Angst, etwas zu sagen."

„Nein, keine Angst", korrigierte Gahan ihn sanft. „Wir fühlten uns *unwohl*."

Die Gründungsmitglieder hassten daher die Vorstellung, sich auf Wilder einzulassen, als wäre er eine Art Vince 2.0. Sie wussten, dass sie auf ihren eigenen Beinen stehen mussten, auch wenn dies kein einfacher Prozess wäre. Martin Gores Songwriting glich noch einer Baustelle. Zwar wusste er Bescheid in Sachen „gute Melodien", doch er war bezüglich anderer Grundlagen des Kompositionsprozesses noch ziemlich grün hinter den Ohren. Zum Glück hatte der Label-Boss und Produzent der Band Vertrauen in ihn. „Ich dachte mir, dass wir einfach die nächste Platte machen sollten", sagte Daniel Miller im Gespräch mit *Sound On Sound*. „Ich wusste ja, dass Martin Songs schreiben konnte."

Gore musste in große Fußstapfen treten, und seine ersten Schritte waren eher zaghaft. Wo Clarke stets mit nahezu fertigen Demos im Studio aufgekreuzt war, kam sein Nachfolger mit nicht mehr als einer Melodie und der vagen Struktur eines Songs an. „Wir bereiten unsere Musik und Lyrics nicht akribisch vor, bevor wir ins Studio gehen", sagte er in *ZigZag*. „In der Regel haben wir einen losen Rahmen, innerhalb dessen wir uns bewegen."

Das Rohmaterial, das Gore ins Studio mitbrachte, war jedoch überaus variantenreich. Die Singles „See You" und „The Meaning Of Love" waren eine offenkundige Fortsetzung von Clarkes „Ultrapop": Chart-taugliche

Nummern, die Gore später als „richtig poppiges Zeug" bezeichnete. „Wir mussten das machen, weil wir es auch auf der letzten Platte gemacht hatten."

Schon damals war offensichtlich, dass Gores Songwriting viel düsterer und experimenteller war als Clarkes gefällige Kleinode. Ein gutes Beispiel hierfür bot der Opener, der auch als nächste Single fungierte, „Leave In Silence". Diese stimmungsschwangere Grübelei, die sich inhaltlich mit einer in Trümmern liegenden Beziehung befasste („spreading like a cancer …"). Trotz Gahans atypisch entrücktem Gesang ging es hier gefühlsmäßig heftig zur Sache. Aufgrund ihrer Machart passte die Nummer kaum ins Tagesprogramm von Radio 1, was sich als Nachteil herausstellen sollte. So erreichte das am 16. August erschienene elegische „Leave In Silence" nur Platz 18 in den Charts und blieb somit weit hinter Yazoo zurück. Es war die schlechteste Platzierung seit ihrem Debüt.

Allerdings war es ein vielsagender Vorbote für das Album. *A Broken Frame* erschien einen Monat später und bot eine dezidiert bunte Mischung. Atmosphärische, „gedrückte" Tracks wie „My Secret Garden" und „Monument" wechselten sich mit Pop-Perlen à la „A Photograph Of You" ab. „Wir taumelten durch die Gegend und wussten nicht, was wir tun sollten. Ein echter Mischmasch eben", räumte Gore selbst 2001 im Gespräch mit *Kingsize* ein. „Ein paar der Tracks waren schon älter, gehörten zu den ersten Songs, die wir geschrieben hatten, andere wiederum schrieb ich an Ort und Stelle."

Eine der größten Schwächen des Albums war, dass es Gahans voluminösen Bariton nicht zur Entfaltung brachte. Die ganz speziellen Songs verlangten von ihm, sie in einem schüchternen Flüsterton zu intonieren. Bei Tracks wie „Satellite" wirkte es, als würde er sich entschuldigen, überhaupt da zu sein.

A Broken Frame war ein widersprüchliches und unausgeglichenes Album, dessen Probleme auch den Kritikern nicht entgingen. Pete Silverton von *Smash Hits*, eigentlich ein Fürsprecher der Band, klagte zwar, dass dem Album die Zielstrebigkeit fehle, lobte aber auch dessen „beherzte Schrulligkeit", wie er es ausdrückte. *Sounds* und *Record Mirror* verglichen *A Broken Frame* zu dessen Nachteil mit Yazoos gleichzeitig erschienenem Erstlingswerk *Upstairs At Eric's*. Der *Melody Maker* schlug in dieselbe Kerbe, indem zwar die musikalische Weiterentwicklung zur Kenntnis genommen, aber letztlich geschlussfolgert wurde, dass Depeche „im Prinzip nichtssagend" seien.

Im Studio waren Depeche Mode immer noch ein Trio.

„Mitunter werden Höhepunkte erreicht, die ihr erstes Album als Ganzes total in den Schatten stellen."

NOISE!

A Broken Frame

TRACK LIST

SEITE EINS
Leave In Silence
My Secret Garden
Monument
Nothing To Fear
See You

SEITE ZWEI
Satellite
The Meaning Of Love
A Photograph Of You
Shouldn't Have Done That
The Sun & The Rainfall

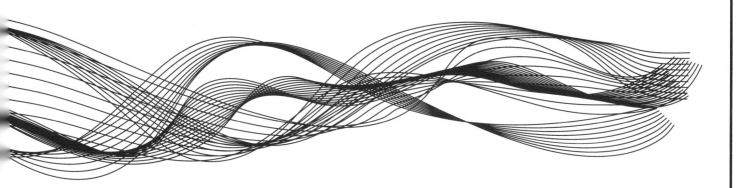

Veröffentlichungsort: Blackwing Studios, London, England

Produziert von: Daniel Miller & Depeche Mode

Besetzung:
Dave Gahan: Lead Vocals
Martin Gore: Keyboards, Programmierung, Backing und Lead Vocals
Andy Fletcher: Keyboards, Backing Vocals

Covergestaltung:
Brian Griffin: Fotografie
Martyn Atkins: Design
Ching Ching Lee: Kalligraphie

Veröffentlichung: 27. September 1982

Label: Mute STUMM 9

Höchste Chartposition:
UK 8, SWE 22, GER 56, US 177

Hinweis:
2015 veröffentlichte das griechische Synth-Pop-Duo Marsheaux eine Coverversion des kompletten Albums bei Undo Records. Der Kritiker von *Release* schrieb, dass die Version „nicht essenziell", aber gut gemacht sei.

Andere Publikationen gaben sich da schon milder: „Lobenswert sind ihre zunehmende Exaktheit und Gewandtheit sowie Martin Gores beeindruckende Songs", schrieb der *NME*. Auch Dave Henderson fand in *Noise!* positive Worte: „Mitunter werden hier Höhepunkte erreicht, die das erste Album bei weitem übertreffen."

Gores unter Hochdruck zustande gekommenes Debüt als Songwriter war nun sicher keine Blamage, aber letztlich war *A Broken Frame* ein eher durchwachsenes Album. Ein ungelenker Übergang von alt zu neu, den Depeche Mode später selbst als unreif beschrieben. „Ich halte unser zweites Album für kein Meisterwerk", bekannte Gore 2001. „Wir kamen gerade mal so durch damit." Gegenüber dem *Melody Maker* hatte sich Dave Gahan noch kritischer gezeigt: „Vermutlich sehen wir *A Broken Frame* rückblickend als unser schwächstes Album an. Es ist sehr, sehr unausgegoren. Wir befanden uns in einem Lernprozess. Es war sehr naiv, und es war Martins erstes Album als Songwriter … er wurde ins tiefe Wasser geworfen, ehrlich gesagt." Auch Andy Fletcher machte sich im Verlauf der Zeit keine Illusionen bezüglich der Stärken und Schwächen: „Die neueren Songs waren tendenziell etwas düsterer und die älteren unschuldiger und

poppiger. Wahrscheinlich diente das Album dazu, mit Vince' Abgang zurechtzukommen, aber trotzdem waren ein paar gute Nummern drauf."

A Broken Frame war sicher nicht perfekt, doch schon damals konnten Depeche Mode auf die unerschütterliche Loyalität bei jenen Plattenkäufern bauen, die schließlich ihre Fanbase bilden sollten. Das Album erreichte mit Platz 8 eine um zwei Positionen bessere Platzierung als *Speak & Spell*.

Im Anschluss an die Veröffentlichung ging die Band auf UK-Tour. Da sie im Herzen immer noch liebe Jungs aus der Provinz waren, nahmen sie auch ihre Freundinnen mit, da die Girls angesichts des Zuspruchs, den die Band von weiblichen Fans erfuhr, ein wenig unruhig wurden.

Konzertfreie Abende blieben eine Seltenheit. Depeche Mode mussten zur Kenntnis nehmen, dass selbst nachdenkliche, kunstbeflissene Möchtegern-Futuristen ihren Verpflichtungen nachzukommen hatten. „Diese ersten Touren werde ich nie vergessen", erzählte Fletcher 1995 dem *Daily Telegraph*. „Wir zwängten uns mitsamt unserer Ausrüstung in einen Van und fuhren gefühlte Jahre über die Motorways."

Eine solche beengte Umgebung kann sowohl ein Wir-Gefühl als auch Feindseligkeit hervorrufen – zum Glück für die Band war Ersteres der Fall. Venues und Publikum wurden immer größer, wobei zwei ausverkaufte Auftritte im Londoner Hammersmith Odeon den Höhepunkt bildeten. Auch verstanden sich die Gründungsmitglieder gut mit dem unkomplizierten Wilder. Dieses freundliche Klima hielt auch an, als die Band die *A Broken Frame*-Tour auf dem europäischen Festland fortsetzte. Zwar spielten sie kein einziges Mal in Frankreich, dafür jedoch gleich zehn Mal in Deutschland, wo die Band bereits auf eine eingeschweißte Anhängerschaft zählen konnte.

Depeche Mode selbst wurden auch größer, zumal sie rein formell vom Trio nun wieder zum Quartett geworden waren. Ihr Fanclub verkündete per Newsletter: „Alan Wilder ist ab sofort ein festes Mitglied von Depeche Mode … Obwohl er nicht auf den letzten drei Hit-Singles von *A Broken Frame* zu hören war, wird er Dave, Martin und Andy ab nun auch im Studio unterstützen."

Also war es doch egal, dass er ein ganzes Jahr älter war. Es sagt schon viel über ihre Unsicherheit aus, dass die Musiker der Band selbst nach wochenlangem Reisen auf engstem Raum ihren neuen Mitstreiter nicht persönlich fragen konnten, ob er von nun an denn ein vollwertiger Bestandteil der Gruppe sein wolle. „Daniel Miller rief mich an", erzählte Wilder Steve Malins mit einem Lachen. „Anscheinend überbrachte die Band gute Nachrichten genauso ungern wie schlechte …"

LINKS Dave Gahan auf der Bühne in Rotterdam, 1982.
OBEN „Seht mal, was im *Suosikki* steht!"

„Die neueren Songs waren tendenziell etwas düsterer, wohingegen die älteren noch eher unschuldig und poppig waren."

FLETCHER

Fotokabine, Bahnsteig-Posen und falsch verbunden,
Hounslow Station, 1982.

4

EINE AUSGEFEILTE KONSTRUKTION

Daniel Miller hatte im Laufe weniger Monate viele gute Nachrichten zu verkünden. Seine spektakuläre Erfolgsgeschichte basierte dennoch auf Zufall. Es war erst vier Jahre her, dass Miller Mute gegründet hatte, nur um seine eigenen Platten als The Normal und vielleicht noch die der Silicon Teens zu veröffentlichen. Und nun betrieb er ein Label, das gleich zwei große Chart-Acts unter Vertrag hatte: Depeche Mode und Yazoo.

1982, lange vor der Blüte des Online-Streamings, zahlten Fans mit ihrem Bargeld für Musik auf Vinyl. (Die CD-Revolution stand jedoch bereits in den Startlöchern). Somit flossen beachtliche Geldbeträge in die Taschen von Mute Records. Technik-affin wie er war, wusste Miller genau, wie er diese investieren wollte.

Der Mute-Boss zahlte etwas mehr als 10.000 Pfund (nach heutigem Stand rund 25.000 Pfund) für den digitalen Synthesizer Synclavier II. Hergestellt von der New England Digital Corporation im US-Bundesstaat Vermont, hatte dieses bahnbrechende Equipment-Teil gerade erst Quincy Jones bei der Produktion von Michael Jacksons *Thriller* geholfen, das bald schon das meistverkaufte Album aller Zeiten sein würde.

Das Markenzeichen des Synclavier II war dessen eingebautes polyphonisches Digital-Sampling-System, das es Nutzern ermöglichte, kurze Aufnahmen von allen erdenklichen Alltagsgeräuschen zu machen und sie dann für den musikalischen Gebrauch zu manipulieren. Dieser Synthie sollte Sound und Feeling der Musik revolutionieren. Doch anfangs verstanden Depeche Mode nicht ganz, was das Theater sollte.

Die Band bekam es mit dieser innovativen Technologie zum ersten Mal kurz vor Weihnachten 1982 in den Blackwing Studios zu tun, als sie – diesmal mit Wilder – auf Millers Geheiß hin eine neue Single aufnehmen sollte, um das Momentum von *A Broken Frame* zu nutzen.

Martin Gore hatte eine hübsche Pop-Nummer in der Art von „See You" geschrieben, „Get The Balance Right", die die Band nun mithilfe des Synclaviers umzusetzen versuchte. Dies sollte sich als überaus frustrierende Erfahrung herausstellen. Ganz sicher war es keine Liebe auf den ersten Blick!

„Das Synclavier war ein topaktueller Sampler und Synthesizer, der großartig klang", erinnerte sich Alan Wilder später mit gemischten Gefühlen auf seiner Web-

„Es war ein überteuertes Ungetüm, für dessen Montage vier kräftige Männer nötig waren."
WILDER

site recoil.co.uk. „Aber es war auch ein überteuertes Ungetüm, für dessen Montage vier kräftige Männer nötig waren, da es aus so vielen Einzelteilen bestand. Es war ziemlich umständlich in der Anwendung. Niemand konnte sich so ein Ding leisten, weil es so teuer war – außer vielleicht ein oder zwei Top-Produzenten …"

Auch war es nicht gerade hilfreich, dass Depeche nicht recht von „Get The Balance Right!" überzeugt waren, doch Miller zeigte sich entschlossen, im Eiltempo eine neue Single zu veröffentlichen – und der Song war alles, was sie auf Lager hatten. Tagelang mühten sie sich mit

VORHERIGE SEITE Depeche Mode, 1983.

Mute Records' Chart-Stars: Depeche Mode machen auf Wham! (links) und Yazoo (oben).

dem Synclavier ab, nahmen etliche Versionen auf – nun ja, auf der Suche nach der „richtigen Balance" eben.

Obwohl diese Rolle dann am ehesten Miller zufiel … „Daniel bediente damals das Synclavier für uns", gestand der entwaffnend ehrliche Gore im *Record Mirror*. „Vielleicht sind wir in einem Jahr so weit, selbst zu übernehmen. Die Anleitung ist ziemlich dick, und es wird ewig dauern, bis wir das Gerät benutzen können … er gibt unsere Ideen für uns ein."

Die enervierende Entstehung von „Get The Balance Right!" wirkte sich negativ auf die Meinung der Band hinsichtlich des Songs aus. So bezeichnete Gore ihn später als jene Single, für die sie am wenigsten übrig gehabt hätten.

Bei Veröffentlichung der Single im Januar 1983 wurde jedoch klar, dass das Synclavier dem Sound der Band eine völlig neue Tiefe und Resonanz verlieh. Außerdem wurde man auch in der damals in Detroit beheimateten Techno-Szene auf Depeche aufmerksam. Obwohl die Single in den USA noch gar nicht veröffentlicht war, wurde „Get The Balance Right!" in den Underground-Clubs der Metropole auf und ab gespielt. Kevin Saunderson von Inner City sprach sogar öffentlichkeitswirksam von der „ersten House-Scheibe". Depeche sollten erst Jahre später von dieser überraschenden Behauptung erfahren.

Die Single erreichte einen respektablen, aber nicht herausragenden Platz 13 in Großbritannien, und Depeche gingen wieder auf Tour. So sollten sie im Februar auch auf der Musikmesse Frankfurt auftreten, wo sie die neuesten Produkte der Instrumentenhersteller begutachten wollten.

Obwohl sie dort aufgrund des noch ausstehenden Durchbruchs in relativ kleinen Venues auftraten, stand im März dann erneut Amerika auf dem Programm. Einen viel stärkeren Eindruck sollte im Anschluss jedoch ihr erster Asien-Trip hinterlassen.

Nach zwei Konzerten in Tokio Anfang April wurden Depeche Mode am Flughafen in Hongkong von 500 Fans belagert – eine Erfahrung, die sie als verwirrend, aber nicht wirklich unangenehm empfanden. „Wir spazierten in den Flughafen und schoben unsere Taschen auf Rollwägen, als wir plötzlich von Hunderten Menschen umringt wurden, die uns treffen wollten", beschrieben sie die Szene in einem Tourprogramm. „Das war zwar sehr beängstigend, aber auch sehr schmeichelhaft. Sogar die Polizei wurde verständigt …"

Depeche Mode flogen anschließend weiter nach Thailand, um zwei Konzerte in der Napalai Convention Hall von Bangkok zu bestreiten. Es war das bis dahin mit Abstand exotischste Reiseziel, das die noch nicht allzu weltläufigen Basildoner Jungs besuchten – und so mancher Eindruck schockierte sie. So fühlte sich Dave Gahan von der Kinderkriminalität und der offen pädophilen Ausbeutung, deren Zeuge er wurde, abgestoßen, während Martin Gore der Kontrast zwischen reichen westlichen Geschäftsleuten in den Luxushotels und den bettelarmen Prostituierten auf der Straße zutiefst erschreckte.

Depeche Mode hatten bis dahin nicht einmal ansatzweise soziales Engagement erkennen lassen. „Wir haben keine politischen Standpunkte", hatte Gahan via *Sounds* ausrichten lassen. Doch der bedauernswerte Zustand in der Dritten Welt, wie eben vor Ort in Bangkok, ließ Gore fortan nicht mehr los. Auch würde sich diese Erfahrung auf ihr nächstes Album auswirken.

„Er schrieb einen Großteil des Albums in den Wochen nach diesen Trips", erläuterte Wilder. „Sie schienen sich alle sehr schnell zu ergeben, und es war offensichtlich, dass all diese bizarren Orte wie Bangkok der Band die Augen öffneten."

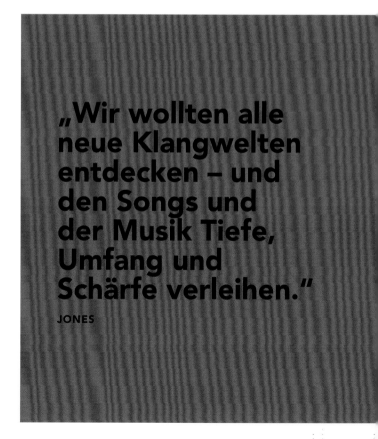

> „Wir wollten alle neue Klangwelten entdecken – und den Songs und der Musik Tiefe, Umfang und Schärfe verleihen."
> JONES

John Foxx, Besitzer von The Garden, im Garten.

Sie hatten nun die Songs und auch das bahnbrechende Equipment, selbst wenn sie nicht immer gern damit arbeiteten. Als sich die Band nun an die Arbeit an ihrem dritten Album stürzte, waren Depeche jedoch bereit, ihre bisherige Arbeitsweise zu überdenken und zu verändern – in neuer Umgebung und mit neuen Leuten.

Nachdem die Gruppe bisher nur in den Blackwing Studios aufgenommen hatte, beschloss sie, etwas Neues auszuprobieren. Daniel Miller teilte diese Ansicht und rief einen wahren Pionier des britischen Electro-Pops an: John Foxx. Dieser hatte 1979 Ultravox verlassen, um mit *Metamatic* eine Soloplatte aufzunehmen, deren asketisch-dystopischer Electro-Futurismus sowohl zukunftsweisend als auch ein großer Einfluss auf z. B. Gary Numan war.

Foxx verwendete das Geld, das er mit dem Nachfolgewerk *The Garden* (1981) machte, um sich ein gleichnamiges Studio einzurichten. Miller buchte Depeche Mode nun Zeit im Garden, und Foxx schlug vor, die Dienste des dortigen Studiotechnikers Gareth Jones in Anspruch zu nehmen, der mit ihm schon an *Metamatic*

gearbeitet hatte. Miller veranlasste daraufhin ein erstes Kennenlernen.

Der prinzipientreue Hippy-Punk Jones, der in einem besetzten Haus in Brixton lebte und dessen Herz für Electro-Experimente schlug, zeigte sich skeptisch bezüglich einer Zusammenarbeit mit Musikern, die er als leichtgewichtige Pop-Gecken einstufte. Dennoch ließ er sich auf ein Gespräch ein und ließ sich von ihrem Enthusiasmus anstecken. „Wir hatten offenbar kompatible Ansätze mit Blick auf die Studioarbeit", sagte er in *Stripped*. „Wir wollten alle neue Klangwelten entdecken – und den Songs und der Musik Tiefe, Umfang und Schärfe verleihen."

Jones faszinierte auch die Aussicht, mit dem Synclavier zu arbeiten, welches zu Beginn der Sessions im Garden montiert wurde. Sowohl er als auch die Band waren begierig, Alltagsgeräusche in das Album einfließen zu lassen, das zu diesem Zeitpunkt den Arbeitstitel *Construction Time Again* trug.

Foxx' Studio in Shoreditch im Osten Londons bot hierfür einen idealen Standort. Heute ein gentrifiziertes

Künstler- und Hipster-Viertel, war die Gegend 1983 ein weithin brachliegendes Terrain.

Jones bewunderte eine Band, die auch Martin Gore bald schon verehren sollte, nämlich die in Berlin beheimateten Post-Punk-Avantgardisten von Einstürzende Neubauten. Deren Studio- und Bühnen-Instrumentierung umfasste vornehmlich Bohrer, Pfahlrammen und Vorschlaghämmer, mit denen sie auf korrodierendes Altmetall eindroschen. Diese Industrial-Pioniere strebten danach, die Geräusche der Fabriken und einer im Untergang begriffenen Gesellschaft einzufangen.

Depeche Mode waren hingegen zu sehr auf Melodien und Harmonien bedacht, um ganz im Avant-Noise-Stil auf Metall einzuhämmern. Nichtsdestotrotz angetan von dieser Philosophie und dem Potenzial des Synclaviers, unternahmen sie Exkursionen, um interessante Sounds und klangliche Texturen zu sammeln.

Die Band wie ihr Produzent und die Studiotechniker verbrachten Stunden damit, Ziegelsteine gegen Wände zu werfen, Zäune mit Holzstücken zu bearbeiten und auf Wellblech einzuschlagen bzw. die Resultate mittels eines Sony Walkmans einzufangen. Tatsächlich fühlten sie sich dabei wie urbane Archäologen.

„Mit Gareth Jones und Daniel Miller fühlte es sich wie eine Erkundungsmission an", erzählte Wilder 1998 in *Sounds*. „Wir begaben uns alle zusammen – bewaffnet mit Hammer und Aufnahmegerät – in heruntergekommene Gegenden."

„Wir fühlten uns erleuchtet", erklärte Gore 2009 in der Dokumentation *Synth Britannia*. „Wir machten uns auf den Weg, um mit Vorschlaghämmern auf Metallstücke zu schlagen. Wir plünderten die Küche auf der Suche nach Utensilien. Für eines der Samples schlugen wir auf ein Wellblech ein, das eine Baustelle begrenzte. Man hörte ‚Krrrraaang … oi!' und das ‚oi!' stammte vom Vorarbeiter!"

Zurück im Studio gaben die beiden technischen Gurus, Miller und Jones, diese Geräusche ins Synclavier ein, das gelegentlich immer noch für Stirnrunzeln sorgte. Sogar Jones empfand es mitunter als frustrierend. „Wir alle empfanden eine gewisse Hassliebe für das Synclavier", gab er zu.

OBEN Blixa Bargeld von Einstürzende Neubauten.
RECHTS Popstars – oder Quasselstrippen einer Post-Industrial-Ära?

Und doch wäre die Beimengung dieser industriellen Geräusche reine Effekthascherei geblieben, wenn die vorhandenen Songs nicht funktioniert hätten. Zum Glück hatte Martin Gore sein Songwriting seit dem disparaten Sammelsurium von *A Broken Frame* weiter verbessern können. Seine Nummern waren nunmehr gehaltvoll, ergreifend und in sich kohärent. Zwischen ihren geschmeidigen Electro-Grooves ließ sich eine neue Tiefgründigkeit und Entschlossenheit erkennen. Vor allem ein Track ragte dabei heraus.

> „Wir machten uns auf den Weg, um mit Vorschlaghämmern auf Metallstücke zu schlagen. Wir plünderten die Küche auf der Suche nach Utensilien."
>
> **GORE**

Inspiriert von den Szenen der ökonomischen Ungleichheit in Bangkok, stellte „Everything Counts" eine etwas unbeholfene, aber dennoch aufrichtige Abrechnung mit der Ungerechtigkeit des Kapitalismus dar. Der Refrain war alles andere als komplex, traf jedoch den Nagel auf den Kopf: *„Die zugreifende Hand krallt sich alles, was sie kann/Für sich selbst natürlich …"*

Eine zart-eindringliche Melodie, basierend auf dem Sample einer Schalmei, brachte die Verletzlichkeit armer Seelen zum Ausdruck, die von der Industrie zermalmt wurden, während Wirtschaftskapitäne ihr Geld zählten: *„Es ist eine Welt bedingungsloser Konkurrenz/Es zählt nur die Quantität."*

„Es geht darum, dass die Dinge aus dem Ruder laufen", erklärte Gore. „Die Geschäftswelt nimmt keine Rücksicht auf Individuen und zertritt alle."

Der Opener „Love, In Itself" bot eine etwas missmu-tige Analyse der Liebe selbst. Dave Gahan sang darin über eine liebliche, federleichte Synth-Komposition hinweg mit imposantem Knurren über die Limitierung von Amors Pfeilen: *„Liebe allein ist meistens nicht genug."*

Alan Wilder steuerte „The Landscape Is Changing" bei, das sich mit der Zerstörung der Umwelt befasste, während sein „Two Minute Warning" das Thema der nuklearen Auslöschung ins Auge fasste. Obwohl beides gefällige Stücke waren, avancierte Wilder nie zum regelmäßigen Lieferanten von Depeche-Songs: Es habe ihm einfach nicht im Blut gelegen, wie er später auf recoil.co.uk einräumte.

Der eigentümlichste Song auf *Construction Time Again* hieß „Pipeline". Seine Instrumentierung bestand fast zur Gänze aus von Einstürzende Neubauten inspirierten Geräusch-Eskapaden, die rund um das Studio entstanden waren. „Sogar der Gesang war vor Ort ein-

gesungen worden", erklärte Daniel Miller. „Wir nahmen die Instrumentalspur an einer Bahnstrecke in Shoreditch auf, und Martin sang ebendort in einem Gewölbe. Im Hintergrund kann man die Züge und allen möglichen anderen Kram hören."

Abgesehen von der höheren Qualität der Songs, verfügte das Album dank des Synclaviers auch über einen volleren Sound. Gareth Jones war es gelungen, sein Ziel in die Tat umzusetzen und der Musik „Tiefe, Umfang und Schärfe" zu verleihen. Als das Album abgemischt werden sollte, erschien The Garden als unzureichend, weshalb die Band nach einer Alternative suchte. Schließlich fiel die Entscheidung, einen radikalen Tapetenwechsel anzustreben.

Gareth Jones besuchte Berlin, um eine lokale Band unter die Lupe zu nehmen und sich dort mit Daniel Miller

OBEN Dave Gahan, backstage in München.
LINKS Dave Gahan in Deutschland.

zu treffen, der gerade mit Nick Cave, den er unlängst für Mute hatte gewinnen können, sowie dessen bald schon Ex-Band The Birthday Party aufnahm. Miller mochte die Stadt und stimmte Jones' Vorschlag, Construction Time Again dort abzumischen, bereitwillig zu.

So verschlug es Depeche Mode im Juli nach Westberlin, wo sie mithilfe eines 64-Spuren-Mischpults im Hansa Tonstudio ihre Arbeit fortsetzten. Dieser atmosphärische Hochglanz-Komplex konnte auf eine bewegte Geschichte zurückblicken. Schließlich hatte Bowie hier, im Schatten der Mauer, seine berühmte Trilogie Low, „Heroes" und Lodger aufgenommen sowie Iggy Pops The Idiot und Lust For Life produziert. Vom Regieraum aus konnte die Gruppe durch den Eisernen Vorhang in die DDR blicken.

Depeche Mode waren inzwischen in Europa, Amerika und Fernost getourt und hatten dabei nur wenig von den jeweiligen Städten zu sehen bekommen. Ihre Routine bestand vielmehr aus Tourbus, Soundcheck, Hotel und

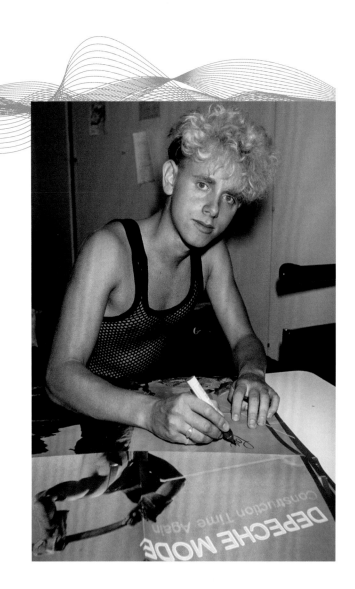

Gig. In vielerlei Hinsicht hatten sie die Welt gesehen, ohne jemals Basildon hinter sich zu lassen. Aus ihrem immer noch etwas unerfahrenen Blickwinkel stellte die lockere Atmosphäre Berlins eine Offenbarung dar. „Es war ein Ort voller Künstler und Menschen, die sich für alternative Lebensstile interessierten. Eine Stadt, die 24 Stunden aktiv war", erzählte Daniel Miller Steve Malins. „Es war ein sehr sexueller Ort. Erotik, Abenteuer und Aufregung lagen in der Luft … Die Leute verfolgten einen exzessiven Lebensstil, blieben manchmal vier oder fünf Tage am Stück wach und nahmen jede Menge Drogen."

Während der Arbeit im Hansa, die sich bis in die frühen Morgenstunden hinzog, bevor sich die Band in die vielen die ganze Nacht geöffneten Clubs der Stadt aufmachte, gewöhnten sich Depeche Mode ziemlich gut in Deutschland ein. Sie feierten wilder als je zuvor zuhause in England. „Jeder ließ sich auf den Berlin-Vibe ein und trug von nun an schwarzes Leder. Mich eingeschlossen!", bekannte Gareth Jones.

Martin Gore ging wie kein anderer in Berlin auf. Seine zaghafte Art war bis dahin auch aufgrund seiner Lang-

zeitbeziehung mit der gläubigen Christin Anne Swindell eine besonders augenscheinliche Charaktereigenschaft gewesen. „Sie hatte mich ganz schön an der Kandare", gestand er gegenüber *Uncut*. „Sie war echt lächerlich. In ihren Augen war einfach alles pervers! Wenn ich etwa fernsah und da jemand nackt war, war ich auch pervers."

Gore hatte seine Verlobung mit Swindell kurz vor der Abreise nach Berlin gelöst und warf sich nun befreit ins so ausgefallene wie sexualisierte Nachtleben der Großstadt. Dort lernte er auch seine neue Freundin kennen, eine Einheimische namens Christina Friedrich. „Plötzlich entdeckte ich all diese Freiheiten", gestand er. „Das war ein wichtiger Wendepunkt für mich."

In Berlin wurde hart gearbeitet und wild gefeiert – und jedes Bandmitglied fühlte sich dort pudelwohl. Das Abmischen des Albums verlief erfolgreich, und auch der Spaß kam dabei nicht zu kurz. So arbeitete Andy Fletcher an einem spontanen „Solo-Album" namens *Toast Hawaii*, dessen Titel er von seinem Lieblingssnack aus der Studio-Kantine übernahm. Es wurde sogar herumgealbert, dass Daniel Miller die Scheibe womöglich auf Mute veröffentlichen würde. Zum Glück obsiegte letztlich aber der gesunde Menschenverstand. „Es klang schon ziemlich daneben", räumte Fletcher 2001 ein. „Es existiert nur eine Kopie auf Kassette, die ich aber seit Jahren nicht mehr gesehen habe. Hoffentlich taucht das Ding nie wieder auf."

Noch vor der Veröffentlichung des Albums wurde im Juli „Everything Counts" als Vorab-Single ausgekoppelt. Trotz seines politischen Textes eignete sich der Song perfekt fürs sommerliche Tagesprogramm, avancierte rasch zum bis dahin bestverkauften Hit der Band und wiederholte mit Platz 6 den Erfolg von „See You".

Zwischenzeitlich bereitete Mute den Release des Albums vor, dessen Cover für Diskussionen sorgen sollte. Für die Plattenhülle hatte Fotograf und Designer Brian Griffin, der schon die vorherigen beiden Albumcover gestaltet hatte, einen muskulösen Ex-Marine ohne Hemd abgelichtet, der hoch oben in den Schweizer Alpen einen Vorschlaghammer schwang. Das Bild schien sich am Sozialistischen Realismus sowjetischer Prägung zu orientieren. Angesichts des neuerwachten sozialen Gewissens von Tracks wie „Everything Counts" und ihrem Abstecher an die Berliner Mauer fragten sich Kommentatoren, ob Depeche Mode nun politisch nach links abgebogen seien. Ein Journalist war von dieser Theorie besonders angetan.

Chris Dean, Mitglied der radikalen Socialist Workers Party, sang in der marxistischen Punkband The Redskins und schrieb unter dem Pseudonym X. Moore für *NME*.

LINKS Martin Gore in Berlin.

UNTEN Wer würde diesen Mann jemals einen Perversen nennen?

DEPECHE MODE
ConstructionTime Again

„Depeche Mode liefern eine
ebenso mutige wie hübsche
Pop-Platte ab. So einfach ist
das."

NME

Construction Time Again

TRACK LIST

SEITE EINS
Love, In Itself
More Than A Party
Pipeline
Everything Counts

SEITE ZWEI
Two Minute Warning
Shame
The Landscape Is Changing
Told You So
And Then . . .
Everything Counts (Reprise)

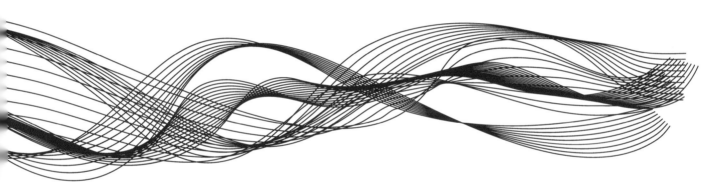

Aufnahmeort: The Garden, London, England

Produziert von: Daniel Miller &
Depeche Mode

Besetzung:
Dave Gahan
Martin Gore
Andy Fletcher
Alan Wilder

Covergestaltung:
Brian Griffin: Fotografie
Martyn Atkins: Design

Veröffentlichung: 22. August 1983

Label: Mute STUMM 13

Höchste Chartposition:
UK 6, GER 7, FRA 16, NLD 32, NZ 44, SWE 12,
CAN 82, SWI 21

Er interviewte Depeche und versuchte, sie als Kryptokommunisten zu etablieren.

„Sie tragen ihr Electro-Weicheier-Image zu Grabe, nicht etwa, indem sie ein paar hasserfüllte Hymnen vom Stapel lassen, sondern in Form eines Albums, das geduldig dafür plädiert, sich zu organisieren", schrieb er. „Der rote Faden, der sich durch *Construction Time Again* zieht, lässt keine Zweifel daran."

Die Band zeigte sich überaus verblüfft, so falsch lag Dean/Moore mit seiner Interpretation. „X. Moore behauptet, das Album sei buchstäblich eine Neufassung des Kommunistischen Manifests", wunderte sich Fletcher gegenüber dem *Melody Maker*. „Das ist doch albern! Die Songs sind nicht politisch gemeint, sondern basieren auf gesundem Menschenverstand." Gore stimmte dem zu: „Wir versuchen nicht, die Welt zu verändern. Wir wollen nur die Menschen zum Nachdenken bewegen … Ich glaube nicht, dass

sich auch nur einer von uns im Geringsten für Politik interessiert."

Als *Construction Time Again* am 22. August erschien, sah kein anderer Kritiker darin ein marxistisches Traktat, doch es stießen sowohl die Perspektive des Albums als auch seine Reife auf Anerkennung in ihren Reihen. *Smash Hits* erkannte, dass Depeche sich nun „mit der Welt (und all ihren Problemen)" befassten. *Number One* nannte Gores und Wilders Songs amüsanterweise „Protestlieder" und lobte sie dafür, dass ihnen „das besondere Gehör für eine Pop-Melodie" nicht abhandengekommen sei. Allerdings war es Mat Snow, ein aufgeweckterer Kollege von X. Moore beim *NME*, der die beste Interpretation des Albums lieferte. So schrieb er: „Dave Gahans Stimme erklingt mit unerwarteter Stärke und Subtilität – und Martin Gore muss man von nun an wohl zu unseren allerbesten Songwritern zählen. Depeche Mode liefern eine so mutige wie hübsche Pop-Platte ab. So einfach ist das."

Dieser Meinung schlossen sich zahlreiche Plattenkäufer an. Geködert von „Everything Counts", erstanden sie auch das Album und katapultierten es in der Folge bis auf Platz 6 in den Charts.

Damit es zustande kommen konnte, hatte die Band mit erstklassigem Equipment gerungen, in Shoreditch auf Metallzäune eingeschlagen, mit Sozialistischem Realismus geflirtet und sich die Augen in Berliner Clubs öffnen lassen – aber vor allem bescherte es Depeche Mode einen Durchbruch in puncto Musik und Haltung. Es war an der Zeit, die internationale Bühne zu betreten – in mehrerlei Hinsicht.

> „Dave Gahans Stimme erklingt mit unerwarteter Stärke und Subtilität – und Martin Gore muss man von nun an wohl zu unseren allerbesten Songwritern zählen."
>
> *NME*

LINKS Depeche Mode im Hammersmith Odeon, 1983. Und demnächst: 10cc und Shakin' Stevens!

RECHTS „Wir sind hoffentlich nicht zu glamourös?"

5
AUF DER ÜBERHOLSPUR

Die Musiker hatten ihren Berlin-Aufenthalt allesamt sehr genossen, doch Martin Gore war noch einen Schritt weitergegangen. Er hatte sich Hals über Kopf verliebt – sowohl in die Stadt als auch in seine neue Freundin, Christina Friedrich. Wie kein anderer ging er in der Halbwelt der Bars und Partys, der Kunstszene mit ihren Galerien sowie den rund um die Uhr geöffneten Clubs auf. Das scheuste und zurückhaltendste Bandmitglied war zu einem Nachtschwärmer und Partylöwen mutiert. Nur zwei Jahre zuvor hatte Gore noch in einer Bank gearbeitet und sich kleinlaut den Anweisungen seiner frommen Verlobten unterworfen. Nun umfasste sein Milieu Sadomaso-Clubs, wo Cross-Dressing zum guten Ton gehörte.

Im Gegensatz dazu hatte sich Dave Gahan fünf Jahre zuvor fast bis in den Jugendknast gefeiert und war nun ein größtenteils geläuterter Charakter, der sich mit seiner Freundin Joanne Fox in einer Langzeitbeziehung befand. Er beäugte Gores neuerdings hedonistischen Lebenswandel mit fast schon väterlicher Milde. „Martin tut nur das, was er eben immer schon machen wollte. Er hat seine Teenager-Zeit ein wenig verpasst und ist nicht ausgegangen oder so. Er hat sich nicht jeden Abend mit anderen Mädels getroffen und sich ständig besoffen", erklärte er einem Journalisten. „Das lebt er nun aus. Das ist ja nichts Schlechtes – jeder sollte diese Phase durchleben!"

Als *Construction Time Again* fertig gemischt war, weigerte sich Gore, seinen neuen Lebensstil aufzugeben, nur um wieder im grauen London oder in Basildon bei seiner Mutter zu wohnen. Er mietete zusammen mit Christina eine Wohnung in Charlottenburg, dem hedonistischen Herzen der Stadt. „Ich zog nach Berlin, weil dieser 24-Stunden-Aspekt der Stadt gut zu mir passte", sagte er in *Number One*. „Ich gehe gerne die ganze Nacht aus. Ist das etwa dekadent?"

Gores Beschluss betraf seinen persönlichen Lebensstil, doch überschnitt er sich auch mit dem rasanten Aufstieg von Depeche Mode in seiner neuen Wahlheimat. Nachdem sie dort zunächst nur über eine kleine, sie kultisch verehrende Anhängerschaft verfügt hatten, eroberte *Construction Time Again* nun die deutschen Top 10.

„Wir fanden nie, dass unsere Musik irgendwie ‚teutonisch' klingt", wunderte sich Fletcher in *Smash Hits*. „Man muss sich nur mal deutsche Popmusik anhören … Ich sehe da keinerlei Verbindung."

VORHERIGE SEITE Depeche Mode im deutschen Fernsehen, 1984.
LINKS Die Lederhosen-Jahre.
RECHTS „Es sind immer die stillen Wasser."

„Martin tut nur das, was er eben immer schon machen wollte. Er hat seine Teenager-Zeit ein wenig verpasst und ist nicht ausgegangen oder so."

GAHAN

Gore pendelte oft zwischen Berlin und Großbritannien hin und her. „Innerhalb von zwei Stunden bin ich zuhause in Basildon", erklärte er gegenüber *Number One*.

Ab September ging die Band ausgiebig auf Tour. Dave Gahan wurde ein zusehends selbstsicherer und kompetenter Frontmann, vor Agilität und Testosteron nur so strotzend. Doch hatten Depeche Modes Live-Shows schon seit jeher darunter gelitten, dass Gore, Fletcher und nun auch Wilder statisch hinter ihren Keyboards standen. Dieses Mal versuchten sie deshalb einen dynamischeren Ansatz und platzierten die drei Keyboarder auf Podien, die von drei Holztürmen aus mit einer innovativen Lightshow angestrahlt wurden.

Mat Snow vom *NME* lobte die Auftaktshow in Hitchin in höchsten Tönen. So beschrieb er etwa Fletcher, der zunächst über die Bühne flaniere, um dann sein Keyboard einzuschalten: „Mit einem lapidaren Knopfdruck fasst er den Reiz Depeche Modes zusammen – die Technologie hinter ihrer Musik wird schlagartig entmystifiziert. Man muss weder ein Genie, reich oder gutaus-

sehend sein, um da mithalten zu können. So wie schon diese anderen vier Jungs von nebenan vor 20 Jahren überbrücken Depeche Mode die Kluft zwischen Performern und Publikum, indem sie das magische Potenzial in ganz banalen, zugänglichen Dingen demonstrieren."

Die Basildoner Beatles? Das war etwas weit hergeholt, aber es war klar, dass dies für die Band eine wichtige Tour darstellte. Um den Quantensprung, den das Album für sie bedeutete, zu betonen, griff die Setlist ausgiebig auf *Construction* zurück, während ihr früher „Ultrapop" zu fast gar widerwillig gebrachten Zugaben degradiert wurde.

Der britische Tourabschnitt gipfelte in drei Abenden im Hammersmith Odeon im Oktober, bevor sie einen Abstecher nach Skandinavien und in die Benelux-Länder machten. Depeche spielten gleich 13 Mal in Deutschland. Dort hatten sie immerhin doppelt so viele Exemplare des neuen Albums absetzen können wie in ihrer Heimat. Viele ihrer Auftritte mussten in größere Locations verlegt werden wie etwa die Deutschlandhalle in Berlin, wo 10.000 Menschen Platz fanden. Die Tour

endete mit drei ausverkauften vorweihnachtlichen Gigs in der Hamburger Musikhalle.

Im Gegensatz dazu hatte sich die Platte in Amerika als Flop erwiesen. Die Radiosender hatten das Album links liegen gelassen, woraufhin sämtliche Nordamerika-Shows zunächst verschoben und letztendlich abgesagt wurden. Im Gespräch mit *Smash Hits* gab sich Dave Gahan bezüglich dieses vermeintlichen Rückschlags betont gelassen. „Wir hatten gerade ein Meeting wegen Amerika und haben entschieden, uns keine Sorgen zu machen", erklärte er. „Wenn wir Bock darauf hätten, wirklich unfassbar reich zu werden, dann wären wir jetzt dort unterwegs, um von der britischen Invasion [The Human League, Duran Duran und Culture Club feierten alle Erfolge in den USA] zu profitieren, aber wir sehen keinen Sinn darin."

Für Depeche Mode führten hingegen alle Wege nach Deutschland – und als Daniel Miller ein Studio für die Arbeit an neuem Material im Januar 1984 aussuchen sollte, beantwortete sich die Frage quasi von selbst. Natürlich würde die Band ins Hansa nach Berlin gehen.

„**Wir fanden nie, dass unsere Musik irgendwie ‚teutonisch' klingt."**
FLETCHER

LINKS Depeche Mode im Fernsehen …
UNTEN … und vor der Kamera.

Bevor es jedoch so weit war, zogen sich die Jungs erst noch in einen Proberaum im Nordlondoner Dollis Hills zurück, wo Martin Gore einen Song verfasste, der alles für die Gruppe verändern sollte.

„People Are People" klang zunächst wie eine übrig gebliebene Perle aus der Vince-Clarke-Ära: eine flotte, ‚gutgelaunte' Melodie, gebettet auf eingängige Synthie-Spuren. Textlich bewegte sich das neue Stück jedoch fernab von „New Life". Mit der für ihn so typischen aufrichtig gemeinten Neugier wunderte sich ein verwirrter Gore über die Alltäglichkeit von Rassismus, Homophobie und anderen negativen Eigenschaften, die die Leute davon abhielten, miteinander klarzukommen. „Ich verstehe nicht/Was jemanden dazu bringt/ Einen anderen zu hassen?"

Gore ließ sich von den körperlichen Übergriffen und verbalen Beleidigungen inspirieren, die er gelegentlich auf den Straßen von Basildon hatte erleiden müssen, weil er so anders aussah. Jedoch war es der wehklagende Refrain, der am meisten im Gedächtnis bleiben sollte: *„People are people, so why should it be/You and I should get along so awfully?"* (Menschen sind Menschen, also warum sollten wir nicht miteinander auskommen?)

Klar, die Aussage kam von Herzen, doch die allzu simple Formulierung inklusive des klobigen Reims und des übermäßig steif wirkenden „awfully" hätte durchaus noch einmal überarbeitet werden können. Vielmehr aber freuten sie sich einfach, dass sie eine weitere Killer-Nummer am Start hatten.

Als die Band und Daniel Miller im Hansa eintrudelten, kam es zum Wiedersehen mit Gareth Jones. Dieser hatte es Gore gleichgetan und sich ebenfalls mit einer deutschen Freundin eine Wohnung genommen.

Als Nächstes machten sie sich daran, das eindringliche „People Are People" aufzunehmen. Wie mittlerweile

UNTEN „Fletch, ich habe da eine tolle Idee für einen Songtext." RECHTS Berliner Jungs, 1984.

OBEN „Du holst dir noch den Tod, Mart!"
LINKS Im Schatten der Mauer: in den Berliner Hansa Studios.

üblich, kamen auch dieses Mal allerlei klangliche Innovationen zum Tragen. So sang Gahan über ein Lautsprechersystem eines großen Saals im Hansa. Außerdem enthielt der Track stark verfremdete Samples sowohl von Gores Schluckgeräuschen als auch dem Lachen und Geplapper von Flugreisenden, die auf dem Flug von London nach Berlin aufgezeichnet worden waren. „Für ‚People Are People' wurde nur sehr wenig eigens eingespielt", bestätigte Alan Wilder gegenüber der *International Musician And Recording World*. „Fast alles wurde mittels Synclavier gesampelt."

Doch die Hauptsache war, dass es sich bei „People Are People" um einen herausragenden Song handelte – eine glänzende Synthese aus ratternden Beats, wohltönenden Keyboards und einer unwiderstehlichen Melodie, während Gore mit engelsgleichem Gesang Gahans schallende Lead-Stimme ideal zu ergänzen wusste. Es bestand keinerlei Zweifel, dass es sich hier um eine Vorab-Single handeln würde.

Nachdem die Nummer im Kasten war, arbeiteten Depeche an weiteren Ideen für die nächste Platte. Textlich war dies das Album, auf dem Gores Wandel vom Unschuldslamm aus Essex zum Beobachter der Berliner Sex-Club-Szene augenscheinlich wurde. „Master And Servant", für dessen Einstieg ein Sample von Daniel Miller, der das Zischen eines Peitschenhiebs imitierte, zum Einsatz kam, handelte ganz eindeutig von Sadomaso. „*Du behandelst mich wie einen Hund*", sang Gahan da. „*Zwingst mich auf die Knie.*" Es folgten eher banale Parallelen zwischen sexueller und gesellschaftlicher Unterwerfung.

Gore gab sich stets schmallippig, wenn es darum ging, ob er nur Voyeur oder auch mittendrin statt nur dabei war in der Berliner BDSM-Szene. Doch herrschte kein Zweifel daran, dass er nun merklich ‚lockerer' wurde. „Geschlechtergrenzen sind albern. Meine Freundin und ich teilen uns Klamotten, Make-up, einfach alles – na und?", erklärte er damals in *Number One*. „Wenn man sich [‚Master And Servant'] genau anhört", ermutigte Alan Wilder, „dann kann man neben den Peitschenhieben auch noch zwei Mädels aus Basildon hören, die singen: ‚*Treat me like a dog.*'"

„Blasphemous Rumours" scherte sich ebenso wenig um Tabus. Dieses Mal war die Religion dran. Gore erzählte darin die Geschichte eines weiblichen Teenagers, der einen Suizidversuch überlebte, zu Jesus fand und schließlich bei einem Autounfall ums Leben kam, wofür der Chor im Refrain Gottes „*kranken Sinn für Humor*" verantwortlich machte. Gore erklärte, dass der Song von seiner Zeit als jugendlicher Kirchgänger beeinflusst sei: Jede Woche las damals ein Pfarrer eine Liste mit schwer und schwerstkranken Gemeindemitgliedern vor, nur um dann unbekümmert dem Herrn zu danken. „Das kam mir so eigenartig vor", erklärte er Steve Malins

Showtime, 1984 und 1985.

„Als Martin mir zum ersten Mal ‚Blas-phemous Rumours' vorspielte, war ich einigermaßen ver-schnupft."

FLETCHER

Mirror ein: „Ich musste echt ziemlich lachen, als ich das zum ersten Mal hörte." Geschenkt, denn „People Are People" war schlichtweg ein unglaublicher Ohrwurm und ein feines Stück radiotaugliche Popmusik.

Dank (oder trotz?) eines seltsamen Videos, das die Band auf der HMS Belfast zeigte, erreichten Depeche mit Platz 4 ihren größten Charterfolg. Deutschland sollte das aber noch toppen. Trotz ihres dortigen Stellenwerts hatten Depeche Mode es bis dahin noch nicht geschafft, die deutschen Top 10 zu entern, wobei „Everything Counts" mit Platz 23 die Bestmarke repräsentierte. Das sollte sich nun aber auf spektakuläre Weise ändern.

Nachdem das westdeutsche Fernsehen den Song im Vorspann zur Berichterstattung über die Olympischen Spiele 1984 in Los Angeles spielte, schoss die Single prompt an die Spitze der Charts, wo sie sich gleich drei Wochen lang halten sollte. Es war weltweit der erste Nummer-eins-Hit der Band.

Depeche Mode erfreuten sich nun solcher Popularität in Deutschland, dass ihnen prompt ihr bis dato größter Gig angeboten wurde, nämlich Anfang Juni beim SWF3 Open Air Festival mit Elton John im Ludwigshafener Südweststadion, das 40.000 Menschen fasste. Die Nerven lagen natürlich blank, doch Elton, der bekannt dafür war, immer ein Ohr für neue Musik zu haben, ließ es sich dennoch nicht nehmen, Martin Gore vor dem großen Auftritt mitzuteilen, wie sehr er sein Songwriting und die Musik der Band schätze.

Im krassen Gegensatz zu Deutschland, wo sie mit Superstars abhingen, wurde „People Are People" in Amerika nur selten im Radio gespielt, da die Sender Misstrauen gegenüber gewissen Ausprägungen britischen Synthie-Pops zu hegen schienen. So wie alle Depeche-Singles zuvor, verfehlte auch dieser neuerliche Versuch die Charts. Zumindest fürs Erste.

Nachdem in Deutschland die Grundlage für *Some Great Reward* gelegt worden war, traf sich die Band nach ihrer jüngsten Tour im Nordlondoner Music Works Studio, um dort weiterzuarbeiten. Die Lage nahe der belebten Holloway Road erlaubte es ihnen, auch weiterhin die Straßen nach Gegenständen abzusuchen, aus denen sich Geräusche herausholen ließen. „Neben Music Works schufteten all diese Bauarbeiter", erzählte Martin Gore. „Wir ließen das Band mitlaufen, als wir gerade auf Klappkübel und Beton schlugen. Nebenan rissen sie Wände ein. Wir konnten das dann gar nicht mehr voneinander unterscheiden!"

für dessen Biografie der Band. „Das war so lächerlich und hatte so gar nichts mit der Realität zu tun."

„Als mir Martin zum ersten Mal ‚Blasphemous Rumours' vorspielte, war ich einigermaßen verschnupft", gestand der ehemalige Kirchgänger Fletcher. „Ich kann verstehen, warum Leute eine Abneigung dagegen haben. Es ist ganz sicherlich grenzwertig."

Die Ballade „Somebody", eine Liebeserklärung an seine neue Flamme Christina, sang Gore gefühlvoll zu Klavierbegleitung. Er versuchte die Aufrichtigkeit und Leidenschaft seiner Gefühle zu betonen, indem er den Song nackt aufnahm – abseits der Blicke seiner Bandkollegen, was vermutlich für alle das Beste war.

Es war dann der Track „Lie To Me", der dem Album seinen Titel verleihen sollte: *Some Great Reward*. Gore beklagte darin die abnehmende Bedeutung der Wahrheit. Zu lügen entspreche nun der Norm, sowohl im privaten als auch im öffentlichen Bereich. Schließlich forderte er einen namenlosen Protagonisten dazu auf, ihn ebenfalls übers Ohr zu hauen: *„Mach mich glauben, dass mich am Ende des Tages/Eine tolle Belohnung erwartet."*

Zwar war er laut eigener Einschätzung kein geborener Songwriter, doch Alan Wilder spielte inzwischen eine wichtige Rolle im Studio und kümmerte sich in zunehmendem Maße um Arrangements und Produktion. So arbeitete er gemeinsam mit Daniel Miller und Gareth Jones bis in die frühen Morgenstunden, während Gore, Gahan und Fletcher das Nachtleben auskosteten.

Im März gönnte sich die Band eine Auszeit vom Studio, um noch ein paar letzte zur *Construction Time Again*-Tour gehörige Gigs in Italien und Spanien zu absolvieren. Im Anschluss daran veröffentlichte Mute „People Are People" in Großbritannien und Europa.

Gores unfreiwillig komische Textzeile „*... why should it be/you and I should get along so awfully*" provozierte ein paar ungläubige Reaktionen. So räumte der Gast-Rezensent Roy Hay von Culture Club im *Record*

Wieder bei *The Tube*, März 1984.

„Depeche Mode haben die richtige Balance und die nötige Chuzpe, um damit durchzukommen."

SOUNDS

Some Great Reward

TRACK LIST

SEITE EINS
Something To Do
Lie To Me
People Are People
It Doesn't Matter
Stories Of Old

SEITE ZWEI
Somebody
Master And Servant
If You Want
Blasphemous Rumours

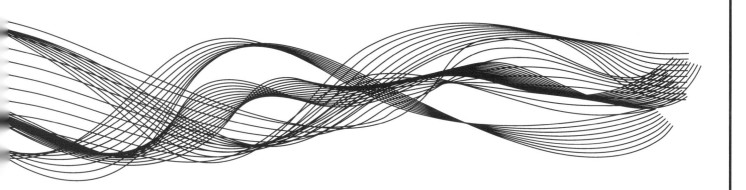

Aufnahmeorte: Music Works, London, England & Hansa Tonstudio, Berlin, Deutschland

Produziert von: Daniel Miller, Gareth Jones & Depeche Mode

Besetzung:
Dave Gahan
Martin Gore
Andy Fletcher
Alan Wilder

Covergestaltung:
Brian Griffin: Fotografie
Martyn Atkins: Design

Veröffentlichung: 24. September 1984

Label: Mute STUMM 19

Höchste Chartposition:
UK 5, GER 3, FRA 10, NLD 34, NZ 44, SWE 7, CAN 34, SWI 5, US 54

Gore und Fletcher besuchten eines Morgens auch das Spielzeuggeschäft Hamleys im Londoner Zentrum und brachten von dort Kinderpianos, Xylophone und Marimbas mit. Auch diese Spielzeuge tauchten auf dem Album in stark verfremdeter Form auf.

Depeche Modes Bondage-affines „Master And Servant" war als Single erschienen und knackte nicht nur die britischen Top 10, sondern belegte gar Platz 2 in den bundesdeutschen Charts, als die Band im August ins Hansa zurückkehrte, um das Album abzumischen.

Dies erwies sich als aufwendiger Prozess, den Fletcher, Gahan und Gore bald schon satthatten, woraufhin sie sich samt Freundinnen in den Urlaub verabschiedeten und dem Trio Miller, Jones und Wilder, der nur zu gerne vor Ort blieb, die Fertigstellung des Albums überließen.

Some Great Reward wurde schließlich im September veröffentlicht. In Großbritannien erntete die Platte wie gehabt leicht widerwillig wirkende kritische Zustimmung, unter die sich vereinzelt herablassende Stimmen mischten, die auf die angebliche Abgeschmacktheit der Gruppe hinwiesen.

„Es war ja mal ganz in Ordnung, über diese Typen abzulästern", kommentierte allerdings der *Melody Maker*, „aber nun: Setzt euch aufrecht hin und begreift, was da gerade passiert, direkt vor eurer Nase." *Number One* erklärte Depeche Mode für „leider unterschätzt" und pries sie dafür, sich „eine Million Meilen von ihren Teenie-Wurzeln" entfernt zu haben.

Dennoch gab es auch etwas zu bemängeln: „Martin Gores Lyrics können nicht ganz mithalten. Über eine ganze LP hinweg lenkt ihre Unbeholfenheit nämlich irgendwann ziemlich von der musikalischen Leistung ab." Bei *Sounds* sah man das ähnlich. Neben Lob gab es auch hier Schelte für die Texte: „Na gut, die Lyrics sind banal, oft naiv und regelmäßig klischeehaft … doch Depeche Mode haben die richtige Balance und die nötige Chuzpe, um damit durchzukommen."

Wie sonst auch, gaben die stets noch hingebungsvoller agierenden Depeche-Mode-Jünger aber auch dieses Mal einen feuchten Kehricht auf Kritikermeinungen. So verkaufte sich *Some Great Reward* gleich 80.000 Mal in den ersten beiden Wochen nach seiner Veröffentlichung in Großbritannien, was der Band mit Platz 5 eine neue Chart-Bestmarke bescherte. In der Bundesrepublik Deutschland reichte es gar zu Platz 3. Sogar noch beachtlicher: Auch wenn die höchste Platzierung in den amerikanischen Charts, Platz 54, unspektakulär wirken mochte, sollte sich *Some Great Reward* doch immerhin 42 Wochen dort halten.

Drei Tage nach der Veröffentlichung des Albums brach die Band zu einer dreiwöchigen Tour durch Großbritannien und Europa auf. Nordamerika und Japan sollten im Jahr darauf folgen. Ihre Konzertreisen wurden nicht nur länger, sondern boten nun auch ein größeres Spektakel. Der ehrgeizige Bühnenaufbau umfasste Rampen und Podeste zwischen Leuchtbändern und Neonröhren, während hinter der Band sporadisch bunte Fenster projiziert wurden. Doch der größte Hingucker bezog hinter dem mittleren der drei Keyboards Position.

Unter dem Einfluss des swingenden Berlins hatte sich Martin Gore auf und abseits der Bühne eine neue Optik zusammengestellt, die Eyeliner, Lippenstift, schwarzen Nagellack, quer über die Brust gespannte Lederriemen und lacklederne Miniröcke umfasste. War dies eine Rückkehr zur Androgynie der Glam-Rock-Ära oder schon eindeutiger Transvestitismus? Gores Look sorgte jedenfalls weltweit für verdutzte Gesichter – und nicht nur zuhause in Basildon. Obwohl sie seine modischen Schrullen weitgehend tolerierten, schlugen ihm seine weniger auffallend gekleideten Kameraden doch mitunter auch vor, es nicht zu übertreiben. „Ich war nie sonderlich happy darüber, dass Martin sich in Mädchenklamotten warf", sollte Alan Wilder später zugeben. „Der Rest der Gruppe versuchte regelmäßig, ihm das auszureden. Aber je mehr wir das taten, desto starrsinniger wurde er. Er hatte sich festgelegt."

Im selben Interview mit *Uncut* gestand Gore, dass er seine S&M-Mode-Phase, die ungefähr zwei Jahre anhielt, zwar unerbittlich verteidigt habe, aber sich

„Martin, es ist nur … könntest du vielleicht? … Ach, es ist egal."

selbst nicht sicher gewesen sei, was es damit auf sich gehabt habe. „Ich kann wirklich nicht sagen, was da in meinem Kopf vor sich ging", sagte er. „Es hatte etwas Sexuelles an sich, das mir gefiel, aber wenn ich mir heute viele dieser Bilder ansehe, sind sie mir peinlich."

Als die *Some Great Reward*-Tour sich ihren Weg durch Großbritannien bahnte, veröffentlichte Mute im Oktober „Blasphemous Rumours" als dritte Single des Albums. Der spätere Pet Shop Boy Neil Tennant, damals für die Zeitschrift *Smash Hits tätig*, gab sich scharfzüngig: „Der übliche Trübsinn, bei dem Gott mal so ordentlich die Meinung gegeigt wird."

Da sich die Radiosender aufgrund des angeblich gotteslästerlichen Inhalts mit Airplay zurückhielten, stagnierte die Single in den unteren Bereichen der UK-Top-20, wohingegen sie interessanterweise im katholischen Irland Platz 8 erreichte. „Es ist ja nichts Schlechtes, religiös zu sein", sagte Martin Gore im *Melody Maker*. „Vermutlich wäre ich glücklicher, wenn ich glauben könnte."

„Der übliche Trübsinn, bei dem Gott mal so ordentlich die Meinung gegeigt wird."
TENNANT

Dave Gahan, Kanada, 1985 auf der *Some Great Reward*-Tour.

Dass die Single hinter den Erwartungen zurückblieb, war jedoch nicht weiter tragisch. Denn plötzlich schien es, als ob die Band vor allem außerhalb Großbritanniens unaufhaltsam auf dem Vormarsch wäre. Im Monat vor Weihnachten traten sie nicht nur in Deutschland in ausverkauften Hallen auf, sondern absolvierten auch ihren ersten richtig großen Gig im bis dahin noch zurückhaltenden Frankreich, nämlich im Palais Omnisports de Paris-Bercy.

Und auch auf der anderen Seite des Atlantiks brodelte es.

So hatte sich „People Are People", das nach seiner Veröffentlichung im Sommer 1984 rasch in der Versenkung verschwunden war, auch durch die Unterstützung des hippen Senders KROQ in L.A. nun erholt und setzte zum Höhenflug an. Eine gleichnamige Compilation auf Sire hatte ebenfalls das Interesse am Song geweckt, und *Some Great Reward* war seit Wochen in den Billboard-Charts emporgestiegen. Langsam sprach sich herum, dass der Kartenverkauf für Depeche Modes erste große US-Tour im März 1985 äußerst verheißungsvoll verlief.

Dies gab der Band einen Schub an Selbstvertrauen, als sie Anfang des Monats ins Hansa nach Berlin zurückkehrte, um ihre neue Single „Shake The Disease" aufzunehmen. Mit dem Arbeitstitel „Understanding" versehen, ließen die ersten Textzeilen vermuten, dass Gore hier erneut seine S&M-Fixiertheit ausleben würde. „Ich geh nicht auf meine Knie und bitte darum, dass du mich anbetest ...", knurrte Gahan, der neuerdings Gesangsunterricht bei der renommierten Tona de Brett nahm, diesen aber nicht sonderlich genoss.

„Shake The Disease" war eine sanfte, nachdenkliche Nummer, in dem ein sprachloser, aber dennoch aufrichtiger Galan seinem Mädchen seine Ergebenheit gelobte. Die Nummer wirkte ein wenig wie ein Aufguss von „Love, In Itself" und war nur ein kleiner Hit in Großbritannien. In Deutschland trugen ihre treuen Fans den Song jedoch bis auf Platz 4. Doch nun war Amerika an der Reihe.

Martin Gore hatte die beiden jüngsten halbherzigen Versuche, Amerika zu knacken, noch in schlechter Erinnerung: „Es war beinahe so, als würden wir uns überall rechtfertigen müssen. Deshalb gaben wir Amerika fast schon auf." Doch dieser Besuch sollte ganz anders werden.

Dank „People Are People" und der Unterstützung durch KROQ war der Großteil der 15 Konzerte ab dem ersten Gig am 14. März in Washington DC noch vor ihrer Ankunft ausverkauft. Wohingegen das US-Publikum Depeche Mode bis dahin noch die kalte Schulter gezeigt hatte, drehten die Menschenmassen in altehrwürdigen Locations wie dem New Yorker Beacon Theatre nun komplett am Rad.

Auch bei den kanadischen Shows in Montreal und Toronto ging ordentlich die Post ab. Ganz zu schweigen von den Auftritten in Chicago und der riesigen Bronco Bowl in Dallas! Das historische Hollywood Palladium am Sunset Strip in Los Angeles war in nur 15 Minuten ausverkauft. Vor allem in Kalifornien konnte man von Depeche Mode nicht genug bekommen. Eine weitere ausverkaufte Show im Süden des Bundesstaates wurde riskanterweise ins 15.000 Menschen fassende Irvine Meadows Amphitheatre verlegt. Doch auch hier blieb kein Sitz leer!

Auch MTV entdeckte seine Liebe für Depeche Mode – selbst wenn all ihre bisherigen Videos von zweifelhafter Qualität waren. Als die Band schließlich auch noch die San Diego Sports Arena und das Oakland Kaiser Auditorium füllte, war klar, dass sich für die Musiker, die selbst in ihrer Heimat noch als provinziell angesehen wurden, nun alles verändert hatte. Nachdem sie bereits Deutschland erobert hatten, standen Depeche Mode kurz davor, das Gelobte Land für britische Acts und Labels (selbst für Revoluzzer wie Mute) einzunehmen und in Amerika den Durchbruch zu schaffen. Hier sollten ihnen im Verlauf der kommenden Jahre Ruhm und Reichtum zuteilwerden. Amerika wurde zu ihrer Spielwiese, ihrem Zufluchtsort ... und ihrer Hölle, die sie fast das Leben kosten sollte.

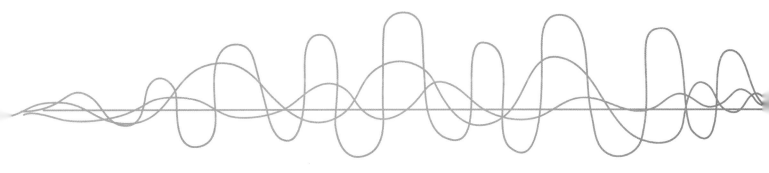

6

„GUTEN ABEND, PASADENA!"

ach ihrem Kursgewinn in den USA blieben Depeche Mode 1985 auf Tour, spielten etwa eine Handvoll Gigs in Japan und beehrten eine Reihe von osteuropäischen Festivals. Auch drei Konzerte in Frankreich zeugten vom gesteigerten Interesse an der Band. Doch verliefen die Euro-Shows letztendlich eher durchwachsen.

Beim ersten Osteuropa-Konzert an Martin Gores 24. Geburtstag sangen ihm die ungarischen Fans im 8.000 Menschen fassenden Volán Stadion noch „Happy Birthday". Das war entschieden lustiger als drei Tage später bei Rock in Athens, wo sie unter anderem neben Culture Club, The Cure, The Clash und den Stranglers auftraten und Anarchisten Boy George mit Flaschen bewarfen, bis dieser das Weite suchte. Als Gahan am nächsten Tag einen Einkaufsbummel unternahm, wurde ihm ins Gesicht geschlagen.

Zwischenzeitlich war auch Daniel Miller nicht entgangen, dass sich Depeche Mode schleichend zu einer Band mit absoluten Killer-Singles entwickelt hatte. So entschied er, ein Greatest-Hits-Album zu veröffentlichen. Dafür sollte die Band zuhause in England unter der Aufsicht des fabelhaften Electro-Pop-Produzenten Martin Rushend in dessen Genetic Studios noch eine neue Single aufnehmen.

Ironischerweise erwies sich diese Single, mit der ihre Singles beworben werden sollten, als eher lauwarme Angelegenheit. Das fröhliche „It's Called A Heart", das aus Gores Feder stammte, wirkte schal und erreichte gerade mal so die Top 20. Wilder sagte Jahre später, dass er die Single von allen Depeche-Mode-Auskopplungen am wenigsten möge.

Dennoch erreichte das Album *The Singles 81–85* nach seiner Veröffentlichung im Oktober 1985 Platz 6 in den UK-Charts. Auch den Kritikern war nun endlich klar, was die Fans schon längst begriffen hatten: Depeche Mode waren eine herausragende Pop-Combo.

„Während die Tracks so an uns vorbeizogen ... wurde die Wahrheit offensichtlich", schrieb Stuart Maconie

VORHERIGE SEITE Depeche Mode, 1986.

LINKS Wer hätte das gedacht? Eine Band mit Killer-Singles.

UNTEN Im Kiyomizu-Tempel in Kyoto, Japan, 1985.

The Singles 81–85

TRACK LIST

Dreaming Of Me

New Life

Just Can't Get Enough

See You

Leave In Silence

Get The Balance Right

Everything Counts

Love In Itself

People Are People

Master And Servant

Blasphemous Rumours

Shake The Disease

It's Called A Heart

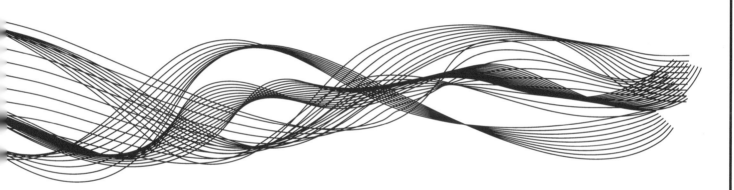

Aufnahmeorte: Blackwing Studios, The Garden, Music Works, London; Genetic Studios, Streatley, England; Hansa Tonstudio, Berlin, Deutschland

Produziert von: Daniel Miller, Gareth Jones & Depeche Mode

Besetzung:
Dave Gahan
Martin Gore
Andy Fletcher
Alan Wilder
Vince Clarke

Covergestaltung: Martyn Atkins

Veröffentlichung: 14. Oktober 1985

Label: Mute MUTEL 1

Höchste Chartposition:
UK 6, GER 9, FRA 7, SWE 18, SWI 14

im *NME*. „Erst wenn man sich ihre Karriere in dieser Form anhört, komprimiert zu Nuggets und aneinandergereiht wie Perlen, wird es einem so richtig bewusst. Depeche Mode gehören weltweit zu den Paradebeispielen für Pop-Single-Erzeuger."

Witzigerweise zierten die Innenhülle des Albums Rezensionen ihrer Singles, sowohl negative als auch positive. Auch Neil Tennants herablassender Kommentar zu „Blasphemous Rumours" war dabei. „Das war nur ein Gag", erklärte Gore einem Journalisten. „Um zu zeigen, dass es uns egal war."

Da auch Sire das Eisen schmieden wollte, solange es heiß war, veröffentlichte das US-Label eine weitere Depeche-Mode-Compilation, die die jüngsten Singles samt B-Seiten enthielt und den Titel *Catching Up With Depeche Mode* trug. Auf beiden Seiten des Atlantiks schien Sinn und Zweck der Übung eine Konsolidierung des Bandstatus zu sein.

Doch die Truppe durchlebte ausgerechnet zum damaligen Zeitpunkt besonders heftige Turbulenzen. Während Gahan inzwischen Joanne Fox geheiratet und ein Haus in Essex gekauft hatte, war Gore immer noch als Crossdresser unterwegs und feierte in Berlin die Nächte durch. Doch viel schwerer wogen ihre beruflichen Diskrepanzen.

Nach monatelangen Touren ausgelaugt, hatten Depeche Mode entschieden, ein paar Monate freizunehmen, bevor sie mit der Arbeit an ihrem nächsten Album beginnen wollten. Als sie sich nun im Herbst in Westlondon versammelten, erzeugte die vorherrschende Verwirrung bald schon Spannungen. „Wenn wir jemals kurz davorstanden, die Band aufzulösen, dann war das Ende 1985", sollte Gahan fünf Jahre später dem *Melody Maker* anvertrauen. „Es herrschte absolutes Chaos unter uns. Wir stritten unentwegt. Es war alles ziemlich krass. Wir wussten nicht wirklich, was wir nach *Some Great Reward* machen sollten, weshalb wir entschieden, das Tempo herauszunehmen. Aber so hatten wir plötzlich zu viel Zeit und verbrachten nun den Großteil davon damit, uns zu zanken. Es

RECHTS Wieder mal im „Harnisch": Martin Gore.
UNTEN Monatelange Touren fordern ihren Tribut.

ist unglaublich, dass die Band und unsere geistige Gesundheit diese Phase überstanden haben."

Diese neue Konfliktbereitschaft innerhalb der Band war zu viel für den hypersensiblen Gore, der sich daraufhin für ungefähr eine Woche bei einem alten deutschen Freund aus Schultagen auf dessen Bauernhof in Schleswig-Holstein versteckte. „Ich rastete einfach aus", verriet Gore später. „Ich musste für ein paar Tage das Weite suchen."

Als sich Depeche Mode erneut in den Westside Studios einfanden, wurden sie in Daniel Millers Masterplan für ihr nächstes Album eingeweiht. Er hatte nämlich beschlossen, dass sie dieses im Verlauf einer durchgehenden viermonatigen Session aufnehmen sollten. Ohne jegliche Auszeiten. „Ich war stark von Werner Herzog beeinflusst", erklärte er Steve Malins. So wünschte sich Miller, dass alle am Album Beteiligten für dieses „brennen" sollten – wie dies auch bei den Dreharbeiten des monomanischen deutschen Regisseurs üblich war.

Auch Gore beabsichtigte, ein „viel härteres und düstereres" Album als *Some Great Reward* zu machen. Somit war alles angerichtet für einen – milde ausgedrückt – „schwierigen" Aufnahmeprozess. Diese

Atmosphäre spiegelte sich in zumindest der Hälfte der Songs des später *Black Celebration* betitelten Albums wider. Die Songs, die Gore ins Studio mitbrachte, waren atmosphärischer und weniger melodisch als früher bzw. orientierten sich nicht durchgehend an konventionellen Strukturen. Auch wirkten sie thematisch düsterer als sonst, obwohl Gores mitunter unfreiwillig komischen Lyrics dem entgegenwirkten.

Black Celebration sollte definitiv kein Pop-Album werden. Gores einziger Wunsch an das aus Miller und Gareth Jones bestehende Produktionsteam war, dass viel Hall zum Einsatz kommen sollte. „Die Band hatte entschieden, dass Hall gleichbedeutend wäre mit Atmosphäre", sagte Jones später. „Also hielten wir uns damit nicht zurück. Volle Kanne."

Bald schon zog die Band von London wieder nach Berlin ins Hansa um. Doch die Probleme, die das Album verfolgen sollten, ließen sich nicht abschütteln.

In erster Linie wurde um den Platz hinterm Mischpult gerungen. Bei allen vier bisherigen Alben hatte Miller die maßgebliche Rolle im Studio gespielt. Seine Ideen wurden in der Regel nicht hinterfragt. Inzwischen waren Alan Wilders Kenntnisse am Mischpult aber deutlich angewachsen, und er wünschte sich mehr Einfluss auf

den Prozess. Da aber auch Gareth Jones wieder als Co-Produzent fungierte, bestand die Gefahr, dass zu viele Studio-Köche den Brei verderben könnten.

Abgesehen vom Gedränge hinter dem Mischpult arbeitete die Band aber auch einfach zu lange ohne einen freien Tag. In Kombination mit den Unmengen von Gras, die im Hansa geraucht wurden, lag schon bald eine von Paranoia geprägte Stimmung über den Sessions. Obwohl Miller, Jones und Wilder sich nach wie vor um die Kontrolle über das Synclavier stritten, war die Band immer noch von den Freuden des Samplings überzeugt. Ja, wenn das überhaupt möglich war, dann fuhren sie sogar noch mehr als je zuvor darauf ab.

„Wir nahmen uns damals vor, dass jeder Sound anders sein müsste und niemals auch nur zwei Mal benutzt werden dürfte", erklärte Fletcher.

Doch auch diese anstrengenden Sessions hatten ihre witzigen Momente. In der Bonfire Night bauten die Produzenten eine Reihe von Mikros entlang des Studio-parkplatzes auf, um ein paar Raketen über sie hinweg abzufeuern. „Das war der wahrscheinlich gefährlichste Sample, den wir je gemacht haben!", sagte Miller.

In erster Linie glich die Arbeit aber einer Qual, da die mit voller Absicht erschöpfende Produktion ihren Tribut

„Wir steckten jeden Tag zusammen und gingen uns schon langsam ein wenig auf die Nerven."

MILLER

VORHERIGE SEITE Live auf der Bühne des Ahoy in Rotterdam, 1986.

LINKS „Was? Keine freien Tage?"

UNTEN Dave Gahan lässt die Spannungen im Studio hinter sich.

RECHTS Dreharbeiten zum „Stripped"-Video.

UNTEN Im Fernsehen: Muntere Melodien sind out, düstere Atmosphäre ist in.

zu fordern begann. Die Entstehung von *Black Celebration* war ein schmerzlicher Prozess, doch vielleicht würde der Zweck die Mittel heiligen. „Wahrscheinlich lag die klaustrophobische Stimmung des Albums an den Spannungen", sagte Wilder später.

Black Celebration bestand aus jeder Menge Charakterstücken und verbreitete eine düster-nachdenkliche Atmosphäre, ließ jedoch poppige Melodien vermissen. Die Vorab-Single „Stripped" bot Gahans bebend-samtenen Bariton eine fantastische Bühne. „A Question Of Lust" und „A Question Of Time" strotzten vor Trübsinnigkeit, was die beiden Stücke jedoch nicht weniger verführerisch machte. In vielerlei Hinsicht entsprach *Black Celebration* als erstes Album überhaupt Gores Vision von einer Band, die ohne poppige Nummern wie „People Are People" auskam. Hier handelte es sich um ein mechanisch wummerndes Gesamtkunstwerk und weniger um eine Zusammenstellung von Hits und Füllern, was sich letztlich bezahlt machte.

Gores zunehmender Einfluss wurde auch durch den Umstand illustriert, dass er gleich vier Songs auf dem Album selbst sang: „A Question Of Lust", „Someti-

mes", „It Doesn't Matter Two" und „World Full Of Nothing". Er erklärte dies so: „Uns fiel auf, dass meine Stimme besser zu den sanfteren und langsameren Songs passt als Daves."

Wie üblich reagierten britische Kritiker mit milder Herablassung auf das Album. Sean O'Hagan vom *NME* etwa empfand dessen Stimmung zwar als „düster, aber auch ein wenig lächerlich".

Chris Heath von *Smash Hits* vertrat eine wohlwollendere Meinung: „*Black Celebration* scheint nicht nur eigenwilliger zu sein, was an den vielen rätselhaften perkussiven Episoden (gesungen von Dave Gahan) und einer Reihe von lieblichen, fragilen und eher sinistren Balladen (gesungen von Martin Gore) liegt, nein, es ist auch das erste Mal, dass sie kein zweitklassiges Füllmaterial verwenden mussten. Ihr bis jetzt bestes Album."

Anders als bei allen vorangegangenen Depeche-Alben erreichte keine Single von *Black Celebration* die Top 10. Allerdings war dies kein Beinbruch, schließlich stieg das Album selbst bis auf Platz 4 der UK-Charts, was ihre beste Platzierung bis dato bedeutete. Es war das klassische Kennzeichen einer Kultband, dass sich

DEPECHE *MODE* **BLACK CELEBRATION**

„*Black Celebration* scheint nicht nur eigenwilliger zu sein … es ist auch das erste Mal, dass sie kein zweitklassiges Füllmaterial verwenden mussten. Ihr bis jetzt bestes Album."

SMASH HITS

Black Celebration

TRACK LIST

SEITE EINS
Black Celebration
Fly On The Windscreen – Final
A Question Of Lust
Sometimes
It Doesn't Matter Two

SEITE ZWEI
A Question Of Time
Stripped
Here Is The House
World Full Of Nothing
Dressed In Black
New Dress

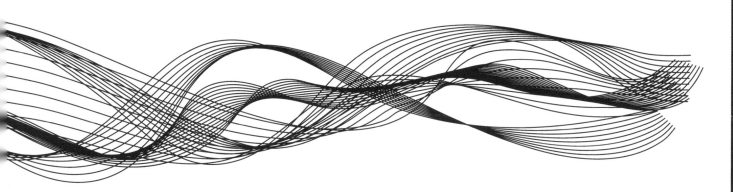

Aufnahmeorte: Westside und Genetic, London, England & Hansa Tonstudio, Berlin, Deutschland

Produziert von: Daniel Miller, Gareth Jones & Depeche Mode

Besetzung:
Dave Gahan
Martin Gore
Andy Fletcher
Alan Wilder

Covergestaltung:
Brian Griffin: Fotografie
Martyn Atkins: Designer

Veröffentlichung: 17. März 1986

Label: Mute STUMM 26

Höchste Chartposition:
UK 4, GER 2, FRA 11, NZ 34, SWE 5, CAN 47, SWI 1, US 90, ITA 9, AUS 69

ihre Alben auch dann verkauften, wenn ihre Singles in den Läden verstaubten – und die folgende Tour untermauerte, dass sich Basildons Aushängeschild rasch zur größten Kultband überhaupt entwickelte.

Auch dieses Mal wurden die Konzert-Locations wieder eine Nummer größer: zwei Abende im NEC in Birmingham, zwei in der Wembley Arena. Natürlich ließ sich auch Deutschland nicht lumpen, was dazu führte, dass die Band das Land gleich zweifach beglückte, um den Bedarf nach Konzerten zu stillen.

Allerdings sollte Amerika dieses Mal eine Überraschung für Depeche Mode bereithalten. Auf den ersten Blick war *Black Celebration* dort hinter den Erwartungen zurückgeblieben und konnte als beste Chartposition nur Platz 90 vorweisen, womit es die Bestmarke des Vorgängers um fast 40 Plätze verfehlte. Dies spiegelte sich jedoch nicht in den Ticketverkäufen wider. Die Gigs waren im Handumdrehen ausverkauft, und etliche Konzerte mussten noch hinzugefügt werden. Allein in der 6.000 Menschen fassenden New Yorker Radio City Music Hall fanden drei Shows statt, doch der Höhepunkt der Tour blieben dennoch die beiden ausverkauften Open-Air-Gigs vor jeweils 16.000 Zuschauern im Irvine Meadows Amphitheatre, Kalifornien.

Für eine Band, über die man sich in ihrer Heimat regelmäßig lustig machte und die gerade einmal einen US-Hit vorweisen konnte, war das schon eine starke Leistung, die sie selbst überraschte. Martin Gore bestätigte: „In den USA verkauften wir mehr Konzerttickets als Platten. Wir spielten überall vor vollem Haus."

Der scharfsinnige Wilder fand eine mögliche Erklärung. „Wir schienen all das zu verkörpern, wonach die typisch amerikanischen weißen Kids der Mittelklasse zu suchen schienen", sagte er 2001 gegenüber Stephen Dalton von *Uncut*. „[Wir waren] eine Band, die artig genug erschien, um Anklang zu finden, aber immer noch subversiv genug war, um Grenzen zu verschieben. Wahrscheinlich gefiel uns das, und wir genossen es, England mit seiner provinziellen Haltung den Stinkefinger zu zeigen."

Die Tour bot auch ein visuelles Spektakel: Die Konzerte fanden vor einer Bühnenkulisse statt, die an Leni Riefenstahls berüchtigten Olympia-Film von 1936 angelehnt war und mittels einer gewaltiger Lichtanlage beleuchtet wurde.

VORHERIGE SEITE Bei den Dreharbeiten zum „Stripped"-Video.
RECHTS Knappe Höschen in einem amerikanischen Stadion.

Abseits der Bühne becherte die Band heftig und haute auf den Putz, wobei besonders Gore epochalen Exzessen zugeneigt schien. „Martin war immer schon ein großer Trinker", bestätigte Wilder in *Depeche Mode: Die Biografie*. „Wenn er betrunken ist, dann ist er das genaue Gegenteil von jener schüchternen Person, als die er sich im Alltag präsentiert. Er sagt dann die bizarrsten Dingen … Er ist dann einen Abend lang dein bester Kumpel, bevor er am nächsten Morgen wieder der stille Martin ist."

Als die Band die Tour mit einer Reihe von Konzerten in Europa im August 1986 abrundete, wurde „A Question Of Time" als finale Single von *Black Celebration* veröffentlicht. Obwohl das für sich genommen nicht sonderlich bemerkenswert war, sollte es dennoch einen Imagewandel für die Band einläuten. Ihr dubioser Kleidungsstil, Unsicherheit und großteils unerfahrene Regisseure hatten zur Folge gehabt, dass Depeche Modes Videos bis dahin einer Abfolge von Pleiten, Pech und Pannen glichen. Für „A Question Of Time" engagierte Mute jedoch den überaus kunstfertigen niederländischen *NME*-Fotografen und aufstrebenden Videomacher Anton Corbijn.

Corbijn, der schon Videos für Echo & the Bunnymen gedreht und mit der Herkulesaufgabe betraut war, U2s Image zu überarbeiten, drehte ein für ihn so typisches wie nachdenkliches Video in Schwarz und Weiß, das Live-Aufnahmen mit einer Story kombinierte, in der ein Biker in der Wüste ein Baby findet und der Band als Präsent überreicht. „Wir drehten das Video, und dann hörte ich erst einmal neun Monate lang nichts mehr von ihnen", so Corbijn. „Ich ging davon aus, dass sie es echt hassen mussten!" Aber nein, es handelte sich nur um eine weitere kommunikative Fehlleistung. Sein Arthouse-Ansatz passte wie angegossen zu Depeche Mode, und es sollte sich schließlich daraus eine langanhaltende und produktive Freundschaft entwickeln.

Während der eine den Kreis rund um Depeche betrat, sollte ihn ein anderer wieder verlassen. Während der Planungsphase zum nächsten Album wollte die Band ihre Arbeitsweise ändern. Nach drei Alben, so beschloss die Gruppe, war es an der Zeit, sich von Gareth Jones zu verabschieden. Aber auch Daniel Miller, der sich noch zu gut an die Streitereien mit

Jones und Wilder erinnerte, zog es vor, die Produktion jemand anderem zu überlassen, um sich auf Mute zu konzentrieren.

Trotz Alan Wilders Fertigkeiten im Studio waren Depeche nun auf der Suche nach einem Co-Produzenten für ihr neues Album. Schlussendlich einigte man sich auf Dave Bascombe, der als Studiotechniker für Peter Gabriel und Tears for Fears gearbeitet hatte. Für Letztere hatte er an *Songs From The Big Chair*, deren Nummer-eins-Album in den USA, mitgewirkt.

Es war eine Zeit des stillen Umbruchs für die Bandmitglieder. Dave Gahan und seine Frau Joanne erwarteten ihr erstes Kind. Martin Gore hatte seine Liebesaffäre mit Christina und Berlin beendet und war nach London zurückgekehrt. Alan Wilder, der nun über ein Heimstudio verfügte, hatte unter dem Namen Recoil begonnen, Electro-Experimente aufzunehmen, die wiederum Daniel Miller veröffentlichte.

In ebendiesem Heimstudio spielte Gore Bascombe und dem Rest der Band seine Demos für das Album vor, das schließlich *Music For The Masses* heißen würde. Als Nächstes brachen sie nach Paris auf, wo die

„Eine Band, die artig genug schien, um Anklang zu finden, aber immer noch subversiv genug war, um Grenzen zu verschieben."

GAHAN

LINKS Anton Corbijn erfand Depeche Modes visuelles Image neu.
RECHTS „Nicht schon wieder Vince!" Der Aufstieg von Erasure.

Platte im Studio Guillaume Tell entstehen sollte, einem ehemaligen Kino am linken Ufer der Seine. Das mochte sich zwar romantisch anhören, doch die Realität gestaltete sich viel nüchterner. „Wir waren in diesem Teil der Stadt, den wir ‚Stadt der Kacke' nannten, denn jeder dort hatte einen Hund", beklagte Wilder in *Stripped*. „Und überall lagen die Scheißhaufen herum."

Bascombe anzuheuern war ein wichtiger Indikator dafür, dass Depeche ihren Ansatz für das neue Album überdenken wollten. Doch alte Angewohnheiten lassen sich nur schwer ablegen – und so spazierten sie erst einmal ein paar Tage durch Paris, um auf Dinge einzuhauen und die Geräusche aufzunehmen. Allerdings wurde nun die Regel gelockert, der zufolge nur Synthies zum Einsatz kommen sollten, die noch aus der Ära Vince Clarke stammte. So spielte Martin Gore auf dem ersten Song des Albums, dem richtungsweisenden „Never Let Me Down Again" Gitarre – natürlich manipuliert und mit Effekten versehen.

Diese offenkundige Auseinandersetzung mit den Freuden narkotischer Selbstvergessenheit war ein komplexes Vergnügen, selbst wenn Gore hier glaubte, aus „safe as houses" und „wearing the trousers" einen

Reim basteln zu müssen. Dennoch war „Never Let Me Down Again" sicherlich eine stärkere Nummer als die Vorab-Single „Strangelove", eine relativ seichte Gore-Komposition, die in Großbritannien im Chart-Mittelfeld landete, in Deutschland aber bis auf Platz 2 vorstieß und in den USA ein kleinerer Club-Hit war.

Bascombe interpretierte seine Rolle eher als oberster Studiotechniker und weniger als Produzent, der die generelle Richtung vorgab, was die Atmosphäre im Studio gleich viel entspannter werden ließ als während der beschwerlichen Sessions zu *Black Celebration*. Bascombe sollte später von einer Band berichten, die Wert darauf gelegt habe, dass alle Beats perfekt seien. Die Platte, die letztlich so entstand, klang geschmeidig, sinnlich und selbstsicher. Das schnurrende „The Things You Said" arbeitete sich tief in die Psyche vor, um Ängste, Verletzlichkeit und das Geheimnis von Beziehungen zu sezieren: *„Du weißt um meine Schwächen/Ich habe nie versucht, sie zu verstecken."*

Bei „Sacred" schmachtete Gahan die mehrdeutigen Worte eines religiösen Missionars. „Behind The Wheel", das als Single ausgekoppelt werden sollte, funktionierte nicht nur als Song für Autofahrten, sondern auch als Bitte, dominiert zu werden. Ganz starkes Material.

„Wir waren uns der Wellentäler bewusst geworden", erklärte Dave Gahan später gegenüber der Presse. „Wir bauten bewusst Atmosphären auf … wir hatten gewisse Dynamiken für uns entdeckt. Es war unser erstes wirklich arrangiertes Album."

Als die Arbeit in der Stadt der Lichter und Hundehaufen im Kasten war, schloss sich Miller der Band in den Puk Studios im Norden Dänemarks wieder an, um beim Abmischen des Albums zu helfen. So zeichnete er für den Remix der frechen Single „Strangelove" verantwortlich, die in einer viel erdigeren, langsameren Version auf dem Album landete.

Music For The Masses erschien am 28. September 1987. Doch was hatte es mit dem Titel auf sich? „Das ist ein Witz", erklärte Gore. „Ich glaube, dass unsere Musik nie die Massen ansprechen wird. Es sind nur die Fans, die unseren Kram kaufen."

LINKS Auf der Bühne in der RDS Arena, Dublin, April 1986.
UNTEN Tischfußball im Studio: „Mach dicht hinten, Fletch!"

„Wir bauten bewusst Atmosphären auf … wir hatten gewisse Dynamiken für uns entdeckt. Es war unser erstes wirklich arrangiertes Album."

GAHAN

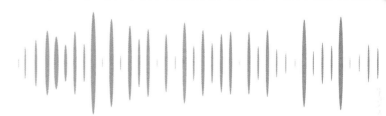

„Depeche Mode sind schamlose Pop-Entertainer."

NME

Music for the Masses

TRACK LIST

SEITE EINS
Never Let Me Down Again
The Things You Said
Strangelove
Sacred
Little 15

SEITE ZWEI
Behind The Wheel
I Want You Now
To Have And To Hold
Nothing
Pimpf / Interlude #1" (Hidden Track)

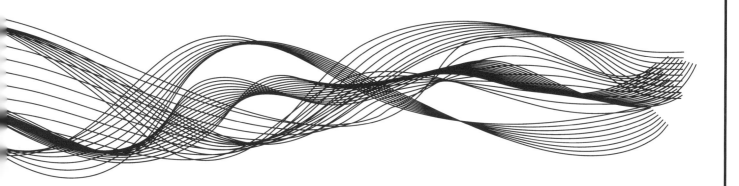

Aufnahmeorte: Studio Guillaume Tell, Paris, Frankreich & Konk Studios, London, England

Produziert von: David Bascombe & Depeche Mode

Besetzung:
Dave Gahan
Martin Gore
Andy Fletcher
Alan Wilder

Covergestaltung: Martyn Atkins

Veröffentlichung: 28. September 1987

Label: Mute STUMM 47

Höchste Chartposition:
UK 10, GER 2, FRA 7, SWE 4, CAN 26, SWI 4, US 35, ITA 7, AUS 60, SPA 1

Die Rezensionen waren schon fast traditionell durchmischt. Damon Wise von *Sounds* gab sich zögerlich zustimmend, doch Paul Mathur vom *Melody Maker* empfand das Album als „öde". Jane Solanas ging direkt ans Eingemachte: „Ich will wissen, ob Depeche Mode eigentlich Perverse sind. Ihre Köpfe stecken ganz schön tief in der Kanalisation. Zumindest auf Martin Gore trifft das ganz sicher zu – und der Rest scheint ihn dazu zu ermuntern, wenn sie fröhlich seine bizarren Songs singen und spielen. Depeche Mode sind schamlose Pop-Entertainer, und das ist auch der Schlüssel zu ihrem langanhaltenden Erfolg. Außerdem ist das auch der Grund dafür, dass Gore in der Lage war, solch seltsame fleischliche Visionen zu entwickeln und damit das Depeche-Mode-Publikum zu beglücken."

Das Album schaffte es bis auf Platz 10 der UK-Charts und blieb damit mangels Hit-Single ein wenig hinter den Vorgängern zurück. Damit war es die in den Charts am niedrigsten platzierte LP der Band seit *Speak & Spell*. In Deutschland kletterte die Platte allerdings bis auf Platz 2. Auch wenn ihre Verkaufszahlen zu stagnieren schienen, bewiesen ihre Touren jedoch, dass sich Depeche Mode am Übergang zur absoluten Top-Liga befanden.

Die *Music For The Masses*-Tour sollte sich in mehrerlei Hinsicht als Monster herausstellen. Begleitet von der ebenfalls aus Essex stammenden Support-Band Nitzer Ebb handelte es sich für Depeche Mode um ein monumentales Unterfangen.

Die Tournee führte zunächst im Oktober 1987 durch Europa, gefolgt von einer ersten nordamerikanischen Konzertserie, die sich bis Weihnachten zog. Zum Jahresauftakt 1988 warteten etliche Konzerte in der britischen Heimat inklusive der mittlerweile schon obligatorischen zwei Abende in der Wembley Arena auf die Band. Daraufhin ging es wieder aufs europäische Festland, etwa noch zwei Mal nach Deutschland und zu insgesamt neun Arena-Shows im neuerdings bekehrten Frankreich sowie wieder einmal hinter den Eisernen Vorhang. Nach einem Abstecher nach Japan standen noch weitere Arena-Konzerte in Nordamerika auf dem Programm. Im Verlauf von acht Monaten sollten Depeche Mode 101 Arenen bespielen – eine Zahl, die nach Beendigung der Tournee noch besondere Bedeutung erlangen sollte.

LINKS Die *Music For The Masses*-Tour kommt nach Toronto, Kanada, Juni 1988.

OBEN Nitzer Ebb, Seelenverwandte aus Essex und Depeche-Vorgruppe.

„Ich will wissen, ob Depeche Mode eigentlich Perverse sind. Ihre Köpfe stecken ganz schön tief in der Kanalisation."

NME

Diese schrullige, eigenartige Band verfügte mittlerweile über einiges an Zugkraft. So kamen fast 20.000 Konzertbesucher zu jedem ihrer drei Konzerte ins Palais Omnisports de Paris-Bercy. Ebenso viele Menschen pilgerten eine Woche vor Weihnachten in den New Yorker Madison Square Garden.

Es überraschte wenig, dass die britischen Kritiker sich anlässlich der Konzerte im neuen Jahr wieder einmal auf die Band im Allgemeinen und Dave Gahan im Besonderen einschossen. Dabei herrschte Konsens, dass seine Bühnenpräsenz – Rampensau und Rockgott zugleich – sich nur schwer mit der nachdenklichen Trübseligkeit von Gores Musik vereinen lasse.

„Dave Gahan lässt uns an seiner fabelhaften neuen Sex-Show, direkt aus Essex, teilhaben", lästerte Danny

„Ich hatte alles, was ich mir wünschen konnte, aber ich war wirklich orientierungslos. Es war, als ob ich mich nicht einmal mehr selbst richtig kannte."

GAHAN

Kelly im *NME*. „Wir staunen über seine überzeugenden Beckenstöße. Wir wundern uns über seine gekonnte Freddie-Mercury-Hämmorhoiden-Haltung. Auch sind wir völlig hin und weg, als er die zweitschlechteste Tanznummer der Welt hinlegt – eine Mischung aus den Verrenkungen einer arthritischen Legehenne, einer Stripperin auf B-Movie-Niveau und Mick Jaggers Oma."

Da sie schon längst an solchen Spott gewöhnt waren, zogen die Propheten, die im eigenen Land nichts gal-

ten, dorthin weiter, wo man sie ein wenig ernster nahm. Noch vor einem raren Auftritt in Ostberlin erfuhren sie, wie populär sie hier waren, als schon Stunden vor ihrem Konzert Zehntausende Fans die Straßen säumten. Die Stimmung auf Tour war ausschweifend, und Martin Gore legte sich beim Feiern (wie die anderen auch) mächtig ins Zeug. Inzwischen gehörte neben Gras und Alkohol auch Kokain zum Menü.

Doch die markanteste Verhaltensauffälligkeit ging dieses Mal von Dave Gahan aus. War er auf vorangegangenen Touren noch relativ nüchtern und abstinent gewesen, so lebte er nun in zunehmendem Maße sowohl auf als auch abseits der Bühne die Fantasie eines Rockstars aus. Sex, Drugs und Rock'n'Roll, so hatte er offenbar entschieden, sollte man am besten im Übermaß genießen. „Ich hatte alles, was ich mir wünschen konnte, aber ich war wirklich orientierungslos. Es war, als ob ich mich nicht einmal mehr selbst richtig kannte", sollte er Jahr später im *NME* berichten. „Und ich fühlte mich beschissen, weil ich unablässig meine Frau hinterging und dann heimfuhr und sie belog."

Gahans tatsächlicher Absturz stand jedoch noch aus, und vorerst nutzte die Band ihren Schwung, um im Frühjahr 1988 ihre US-Tour in Angriff zu nehmen. Dieser Abstecher sollte von einem Fachmann für Rock-Dokumentarfilme begleitet werden.

Noch bevor es losging, hatte Mute D. A. Pennebaker kontaktiert, der etwa für die Doku *Don't Look Back* über Bob Dylans legendäre UK-Tour im Jahr 1965 verantwortlich gezeichnet hatte. Pennebaker willigte ein, sich an einem Film über die Depeche-Tour durch Amerika zu beteiligen.

Mit Orchestral Manoeuvres in the Dark als Support-Act, einem ihrer frühesten musikalischen Einflüsse, bahnten sich Depeche Mode ihren Weg durch die USA. Alle Auftrittsorte waren ausverkauft.

Am 18. Juni sollte die *Music For The Masses*-Tour in der 60.000 Menschen fassenden Rose Bowl im kalifornischen Pasadena zu einem triumphalen Ende kommen. Diese gigantische Show sollte den Höhepunkt in Pennebakers Doku darstellen und ihr auch den Namen geben. Ursprünglich sollte der Film ja *Mass* heißen – eine Anspielung auf *Music For The Masses* und die rapide wachsenden Menschenmengen, die die Konzerte besuchten. Doch als Alan Wilder auffiel, dass Pasadena die 101. Show der Tour wäre, entschieden sie sich für diese Zahl als Filmtitel: *101*.

Der fertige Film war ein kurioses, unausgeglichenes Dokument, das trotz allem ein Licht auf den Alltag der Band, bestehend aus Ruhm und Anbetung, warf. Der Cinéma-verité-Ansatz betonte die Wonnen, Unbilden und den Überdruss, den eine Welttournee von solchen Proportionen mit sich brachte. Die Persönlichkeiten der einzelnen Bandmitglieder zeichneten sich klar ab. Gore wirkte wie ein scheuer, unsicherer Kobold, ein grinsender Naivling in Ledershorts, den man – ganz im Widerspruch zu seinem Ruf als Synthie-Pop-Besessener – kaum ohne seine Akustikgitarre sah.

Gahan war inzwischen auf der Bühne zu einer Naturgewalt geworden, drehte Pirouetten und gab den animalischen Frontmann, der jeden Trick aus dem Arena-Rockstar-Lehrbuch aus dem Effeff kannte. Ganz in Weiß war er der charismatische Dreh- und Angelpunkt der Gruppe, der die Energie-Tsunamis, die das Publikum über die Band hinwegschickte, behände zu reiten verstand. Doch hinter den Kulissen begann es langsam zu kriseln.

So erzählte Gahan einem Interviewer von einem Streit, auf den er sich mit einem Taxifahrer eingelassen habe – ein Hinweis auf die aufgestauten Spannungen, die aus dem monatelangen Touren resultierten. „Man

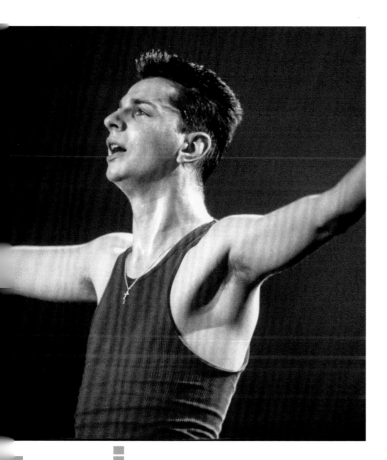

„Wenn Donnerstag ist, dann heißt das … Partytime!"

könnte schon fast jemanden umlegen …", dachte er laut nach. Und im Gespräch mit einem anderen Journalisten in einer anderen anonymen Garderobe, gestand der Sänger auf die Frage, ob das Leben bei Depeche Mode angenehmer sei als sein früheres mitsamt Supermarkt-Job: „Man vermisst seine Familie und verliert all seine Freunde. Ich verdiene jetzt echt mehr Kohle als damals im Supermarkt, aber das machte dafür mehr Spaß."

Der stets halb-amüsierte Wilder schien das vernünftigste Bandmitglied zu sein, wohingegen Fletcher, der hinter seinem Synthie schiefen Hintergrundgesang beisteuerte und absonderlich tanzte, die Aura eines Mannes versprühte, der sein Glück nicht fassen konnte, mit einer Band durch die gewaltigsten Arenen der Welt zu tingeln, obwohl er nur mit bescheidenen musikalischen Fähigkeiten ausgestattet war. „Nicht wirklich viel", antwortete er auf die Frage eines Interviewers nach seinem Beitrag zur Gruppe. „Mein Job ist es, alle zusammenzuhalten. Martin ist der Songwriter, Alan der gute Musiker, Dave der Sänger – und ich … bin auch dabei."

101 war ein unausgewogenes Vergnügen, was vor allem daran lag, dass Pennebaker und die beiden anderen Regisseure, David Dawkins und Chris Hegedus, sich auf eine Gruppe jugendlich-altkluger Gewinner eines Preisausschreibens konzentrierten, die im Bus der Band durchs Land folgten. „Ich hätte gut ohne diesen Aspekt leben können", sagte Wilder später.

Dennoch gelang es den Kameras auch, die wummernde Electro-Maschine einzufangen, zu der sich Depeche Mode live inzwischen entwickelt hatten. Hinter Gahans wildem Bühnen-Gebaren verbarg sich ein kinetisch brütender musikalischer Puls – eine Band, die Bilanz zog und wissen wollte, wohin sie ihre Kunst gebracht hatte.

In einem fast schon herzig zu nennenden Augenblick blickten Gahan und Gore über das Meer ihrer 60.000 Jünger hinweg und lächelten sich ungläubig an. An anderer Stelle winkte Gahan ein paar ausgewählten Fans zu, woraufhin das gesamte Stadion zurückwinkte. „Ich sah, wie einige Leute im Publikum ihre Arme schwenkten, also machte ich mit – und plötzlich machten alle mit!", verriet er später in *Q*. „Ich war einfach überwältigt. Ich spürte Tränen in mir aufsteigen und Schweißperlen über mein Gesicht kullern. Aber es

war trotzdem ein Vergnügen. Es kann einem kaum Besseres widerfahren. Unglaublich, aber wahr: Ein Junge aus Basildon landet den großen Wurf!"

101 erinnert einen unentwegt daran, dass Depeche Mode sich offenbar in eine riesige international tätige Geldmaschine verwandelt hatten. Hinter der Bühne in Pasadena, zählte Jonathan Kessler, der Tour-Buchhalter, der später auch als Manager der Band fungieren sollte, das Geld.

„1.360.192,50 Dollar", sagte er in die Kamera. „60.453 zahlende Konzertbesucher. Wir scheffeln einen Haufen Kohle, jede Menge sogar – tonnenweise Kohle!" Andernorts in der gigantischen Arena saßen ausgelaugte Merchandising-Verkäufer auf dem Betonboden und präsentierten bergeweise Dollars.

Die Doku endet mit Gahan, der wie ein in Weiß gewandetes Insekt wirkt und auf einem Laufsteg kauert, während er das Publikum durch „Everything Counts" lotst …

Am nächsten Morgen schälten sich Depeche Mode aus einer Stretch-Limo und bestiegen ihren eigenen Privat-Jet, um die Heimreise anzutreten.

Es wirkte, als würde es da oben extrem berauschend und äußerst einsam zugehen.

> ## „Man vermisst seine Familie und verliert all seine Freunde. Ich verdiene jetzt echt mehr Kohle als damals im Supermarkt, aber das machte dafür mehr Spaß."
> GAHAN

Dave Gahan in der Pasadena Rose Bowl, Juni 1988:
„Ich vermisse es, Regale einzuräumen."

7
EIN MAKELLOSER HÖHENFLUG

aniel Miller wusste, dass Depeche Mode in Pasadena den Rubikon überschritten hatten. Diese kultig-schrägen Electro-Vögel aus Essex hatten Locations gefüllt, die sonst nur der Elite der Rockbands vorbehalten waren. „Ich glaube, das Rose-Bowl-Konzert hatte einen großen Einfluss darauf, wie die Leute sie wahrnahmen. Um ehrlich zu sein, war uns das auch ein Anliegen", räumte er später ein. „Es erforderte schon riesengroßen Weitblick, sich dafür zu entscheiden, dort aufzutreten – und dass das Konzert dann ausverkauft war, war einfach unglaublich."

Zurück in London konnte Miller kaum fassen, dass es tatsächlich passiert war. Nun wollte er das Maximum herausholen. So beschloss er, dass die Veröffentlichung von Pennebakers Doku durch ein gleichnamiges Live-Album ergänzt werden sollte. Damit wollte er Depeche Modes internationalen Status betonen und ihrem negativen Image in der Heimat entgegenwirken. Dafür engagierte er auch einen neuen für Großbritannien zuständigen Pressesprecher, der eng mit der Band arbeiten sollte. Mick Paterson trat bei Mute im Juni 1988 seinen Dienst als Leiter der Promo-Abteilung an.

„In meiner ersten Woche verschwanden alle von Mute nach Pasadena für die Rose-Bowl-Show", erinnert er sich.

„In der Zwischenzeit nahm ich mir die massive Akte britischer Presseberichte über die Band vor. Die las sich nicht sehr prickelnd. Wie sollten wir das nur wieder geradebiegen? Die britischen Kritiker waren alle sehr herablassend. Sie machten sich darüber lustig, dass [die Bandmitglieder] aus Basildon stammten, oder lästerten über Martins Klamotten. Keinerlei Anerkennung für ihre musikalischen Leistungen!"

Paterson fiel auch schon bald auf, dass innerhalb des Labels immer noch Katerstimmung bezüglich des frühen Ausstiegs von Vince Clarke herrschte. „Erasure starteten in Großbritannien so richtig durch, und bei Mute spürte man immer, dass die beiden Gruppen miteinander konkurrierten", erzählt er. „Man war entweder ein Fan von Erasure ... oder einer von Depeche. Das war ziemlich klar getrennt. Im Büro gab es große Erasure-Fans, die nicht gut auf Depeche Mode zu sprechen waren – und umgekehrt."

Patersons Strategie, Depeche Modes Image in der Heimat zu reparieren, bestand darin, ihren internationalen Status und ihren Einfluss zu betonen. Er wusste, dass die Band von Underground-DJs und Produzenten der damals in den USA beheimateten Techno-Szene über den grünen Klee gelobt wurde. Dazu gehörten etwa Kevin Saunderson, Juan Atkinson und Frankie Knuckles.

„Als es an der Zeit war, *101* zu promoten, schlug ich vor, einfach ein großes Interview zu geben", sagt er. „*The Face* [damals eine monatlich erscheinende britische

VORHERIGE SEITE Dave Gahan auf der Bühne in Rotterdam, 1990. „Auf wessen Seite bist du?" Dave Gahan (ganz links) und Erasure (links).

Typen", wohingegen Alan Wilder das anders sah: „Er war schrecklich. Ich hasste ihn. Der arroganteste Scheißkerl, den ich je getroffen habe."

Jedoch nahm die Nacht eine spektakuläre Wende, als May die Band in eine nahegelegene frühere Kirche mitnahm, die nun als House-Schuppen fungierte, nämlich The Music Institute. „Das war die Zeit, als das Detroiter Stadtzentrum einem Vakuum glich, weil alle fortgezogen waren", führt Paterson aus. „Es war trist, kalt, und es schneite. Wir brauchten Security-Personal im Club, und als wir dort eintrafen, mussten wir im Van warten, weil draußen jemand angeschossen worden war."

Doch als Depeche erst einmal den Club betreten hatten, war es wie eine Offenbarung. Die Mitglieder wurden dort von der vornehmlich jungen schwarzen Klientel, die schon seit Monaten zu den Klängen dieser exotischen weißen Synth-Band aus Europa abtanzte, geradezu angehimmelt.

Wieder einmal waren Depeche Mode gleichzeitig erfreut, aber auch perplex, was diese unerwartete Entwicklung betraf. „Wir wurden von all diesen gutaussehenden jungen Schwarzen richtiggehend belagert!", berichtete etwa Fletcher. Gore zeigte sich nicht minder überrascht, wie er McCready gestand: „Wir sind nicht in der Lage, Dance-Music zu machen – und haben es eigentlich auch nie versucht. Ehrlich, wir wüssten nicht einmal, wie so etwas anfangen." Gahan war sogar noch unverblümter: „Unsere Musik könnte gar nicht noch weißer sein. Sie ist sehr europäisch und eignet sich nicht zum Tanzen."

Ihren mangelnden Kenntnissen der Techno/Ecstasy-Szene war auch ihre verblüffte Reaktion geschuldet, als sie herausfanden, dass das Music Institute keinen Alkohol ausschenkte. Doch zumindest belegte der Detroit-Trip den unterschätzten Einfluss der Gruppe auf die elektronische Musikszene. Als schließlich die neueste Ausgabe von *The Face* erschien, stellte das Cover eine brisante Frage:

SIND DEPECHE MODE FÜR DIE HOUSE-EXPLOSION VERANTWORTLICH?

„Plötzlich waren sie nicht mehr diese schrägen S&M-Charaktere, die niemand ernst nahm, sondern die Band, die House erfunden hatte", sagt Paterson. „Der Artikel behauptete, dass sich die Detroiter Jungs von Kraftwerk und anderen weißen europäischen Gruppen wie

Style- und Kulturzeitschrift] berichtete unablässig über House und Ecstasy und wirkte wie eine sehr glaubwürdige Plattform. Die Band hatte nicht wirklich Lust, mit der UK-Presse zu sprechen, da sie so viele negative Erfahrungen gemacht hatten. Doch wenn man sie mit einem Journalisten zusammenspannte, mit dem sie sich wohlfühlten, gaben sie gute Interviewpartner ab. So flogen wir also mit John McCready von *The Face*, der sowohl Techno als auch Depeche gut fand, nach Detroit."

Der Trip öffnete der Band die Augen. Nach einem Zwischenstopp in New York, wo sie Pennebaker beim finalen Schnitt auf die Finger blickten, flogen sie weiter nach Detroit, wo sie Techno-Pionier Derrick May treffen sollten. Ich bat May zu uns ins Hotel, doch er meinte, wir müssten in sein Apartment kommen", erinnert sich Paterson. „Wir begaben uns also alle in seine Wohnung, und ein paar aus der Band murrten, wer denn dieser Derrick May überhaupt sei."

Die Meinungen der Bandmitglieder zu May fielen geteilt aus. Fletcher hielt ihn für einen „echt netten

Dave Gahan im Jahr 1987; Auslöser für House?

Depeche inspirieren ließen. Auf einmal dachten ein paar Leute in Großbritannien: ‚Ach, die sind ja cooler, als wir vermutet haben.'" Mission erfüllt. Zumindest für den Augenblick.

Pennebakers *101* kam bei den Kritikern gut an, und die zugehörige Live-Platte übertraf gar *Music For The Masses* in den Charts und erreichte Platz 5.

Martin Gore vergnügte sich inzwischen mit den Aufnahmen zu seiner Solo-EP, die den Titel *Counterfeit* trug und von Mute im Juni veröffentlicht wurde. Sie umfasst eine Reihe von Coverversionen seiner Lieblingslieder von Acts wie Tuxedomoon, The Durutti Column und Comsat Angels. Auch enthielt sie eine gespenstische Version von „Never Turn Your Back On Mother Earth" von den Sparks.

Allerdings handelte es sich dabei bloß um ein Spaßprojekt. Denn mittlerweile war es wieder an der Zeit, an einem neuen Depeche-Album zu arbeiten, das ihnen endlich die ganze Welt erschließen sollte.

Da Dave Bascombe mit Tears For Fears beschäftigt war, suchten Depeche nach einem neuen Co-Produzenten. Anfang 1989 einigten sie sich schließlich auf Daniel Millers Drängen hin auf Mark „Flood" Ellis, einen jungen Toningenieur, der sich rasch einen Namen gemacht hatte. Flood hatte zunächst mit Brian Eno und Daniel Lanois an U2s Mega-Erfolg *The Joshua Tree* mitgewirkt, bevor er ausgerechnet mit der Arbeit an Erasures zweitem Album *The Circus* betraut wurde. Diese Erfahrungen mit Vertretern der Rock- und Pop-Elite machten ihn zu einem attraktiven Kandidaten für die neuerdings Genre-übergreifende Band.

Sein erster Eindruck ließ jedoch zu wünschen übrig. „Dieser zerzauste Brillenträger traf ein", sollte Wilder später berichten, „plünderte den Kühlschrank, sank aufs Sofa nieder und redete hochtrabend daher. Ein neues Produktionsteam ward geboren!"

Wilder und Flood bildeten das maßgebliche Produktionsduo für jenes Album, das den Titel *Violator* tragen sollte. Nach einer kurzen informativen Session in London flogen sie nach Mailand, um sich dem Rest der Band in den Logic Studios anzuschließen. Einer der Songs, die Martin Gore mitbrachte, fand besonders großen Anklang.

Als Gore dem Rest der Band „Personal Jesus" präsentierte, war das Stück wenig mehr als ein Beat, den er auf seiner Akustikgitarre melodisch begleitete. Doch das Potenzial, das sich dahinter verbarg, war für alle sofort erkennbar.

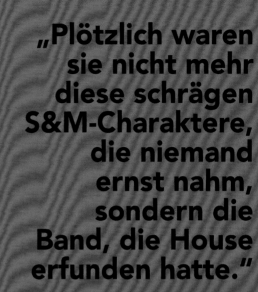

„Plötzlich waren sie nicht mehr diese schrägen S&M-Charaktere, die niemand ernst nahm, sondern die Band, die House erfunden hatte."

PATERSON

„Wir liebten es", sollte Fletcher Jahre später in *Uncut* bekennen. „Wir hielten es für einen tollen Song mit großartigem Klang … Wir gingen aber auch davon aus, dass dieser Song [wegen der Lyrics] wohl nicht gespielt werden würde."

„Personal Jesus" bediente sich Gores textlicher Finesse, das Sakrale mit dem Sexuellen zu kombinieren – doch dieses Mal ging er … noch etwas weiter. *„Streck die Hände nach dem Glauben aus!"*, hieß es da, und Gahan versprach den Hörern: *„… jemand, der deine Gebete erhört/Jemand, der da ist."* Gore erklärte später, dass der Song von Priscilla Presleys Autobiografie beeinflusst gewesen sei. Darin beschreibt sie, wie sehr sie Elvis angebetet habe.

Flood und Wilder beschworen für den Track einen regelrechten Sturm. So verwebten sie dessen künstlich erzeugtes Glam-Rock-Stampfen mithilfe von Samples, die erzeugt worden waren, indem Leute im Studio auf Bordcases auf und ab gesprungen waren. Depeche wussten genau, dass ihnen hier etwas Besonderes geglückt war … doch würde dennoch vielleicht alles umsonst gewesen sein? „Wir dachten, dass wir vor allem in Amerika nicht im Radio gespielt würden", sagte Gore Jahre später. „Wir wurden jedoch eines Besseren belehrt."

Der Song wurde im August 1989 als Vorgeschmack auf *Violator* veröffentlicht, und Radiomacher auf beiden Seiten des Atlantiks konnten sich dessen zwingendem Rhythmus nicht entziehen. Dabei behilflich war auch ein unorthodoxer Promo-Trick. „Ein Marketing-Typ dachte sich eine großartige Kampagne aus", erinnert sich Mick Paterson. „Das war noch vor dem Internet, also platzier-

Dave Gahan, vielleicht doch ein Cock-Rocker?

ten wir Anzeigen in Zeitungen: *Brauchen Sie einen persönlichen Jesus?* Wenn Leute dann die dabeistehende Nummer anriefen, bekamen sie einen Ausschnitt des Songs zu hören."

Auch das dazugehörige Video im Pseudo-Spaghetti-Western-Look verlieh dem Song einen Schub. Es entstand unter der Regie Anton Corbijns in Spanien und eroberte MTV im Sturm. „Personal Jesus" erreichte Platz 13 in den UK-Charts und Platz 28 in den USA – ihre höchste Position in Amerika seit „People Are People" 1984.

Von diesem Erfolg beflügelt, kehrte die Band in die dänischen Puk Studios zurück, wo sie schon *Music For The Masses* gemixt hatten, um an *Violator* weiterzuarbeiten. Das Album entstand relativ zügig, doch zumindest ein Bandmitglied fühlte sich bei dessen Entstehung einigermaßen ausgeschlossen. Da seine Talente vor allem organisatorischer und administrativer Natur waren, trug

Andy Fletcher im Studio eher wenig zum Gelingen bei. Der stets überspannte Fletch versank in Dänemark in einer tiefen Depression.

Er selbst begründete dies später mit einer verspäteten Trauerphase nach dem Tod seiner Schwester Karen, die vier Jahre zuvor an Krebs gestorben war. Er bildete sich daraufhin eine Reihe von ernsthaften Gebrechen ein, was seine Bandkollegen veranlasste, ihn dazu zu überreden, nach Hause zu fliegen, um sich im Priory Hospital behandeln zu lassen, wo er dann auch auf Lol Tolhurst von The Cure traf.

Fletchers Abwesenheit hatte keine großen kreativen Auswirkungen auf den Aufnahmeprozess, zu dem Gore weiterhin außergewöhnlich gutes Material beisteuerte. „Policy Of Truth" entfaltete sich etwa rund um einen unheilvoll davoneilenden Rhythmus. „World In My Eyes" brütete in schwüler und leicht anrüchiger Atmosphäre vor sich hin: *Lass meine Hände dich beruhigen."*

Am besten war jedoch „Enjoy The Silence", das mit einem an New Order erinnernden Gitarren-Flimmern einsetzte, bevor es sich in poetischer Schwelgerei zum Thema Liebe erging: *„Worte sind so unnötig/Sie können nur schaden."* Dave Gahans samtenes Organ hauchte die Zeilen, als ob es sich dabei um das Wort Gottes handelte.

Als die Band in Dave Stewarts Nordlondoner Church Studios weiterzog, wussten die Musiker bereits, welch spezielles Album da entstand. Ihre amerikanischen und britischen Labels bzw. Seymour Stein und Daniel Miller sahen das genauso. „Ihr amerikanischer Promo-Verantwortlicher Bruce Kirkland organisierte eine Signierstunde in einem Einkaufszentrum in L.A.", erzählt Paterson. „Statt der erwarteten 1.000 Leute, kreuzten über 17.000 auf, und es ging drunter und drüber. Die Sicherheitskräfte mussten das Einkaufszentrum schließen."

„Enjoy The Silence" schaffte es bis auf Platz 6 in den UK-Charts, womit es die erfolgreichste Single seit „People Are People" sechs Jahre zuvor war. Der Erfolg wiederholte sich auf der ganzen Welt. In den USA erreichte die Single Platz 8 und grüßte sogar von der Spitze der Modern Rock Charts von *Billboard*. Auch Europa schloss den Song ins Herz: Er landete in Deutschland, Finnland, Irland, Schweden und der Schweiz in den Top 5, und im gewohnt Depeche-vernarrten Spanien sogar ganz oben in den Charts. In Italien heimste die sexy Nummer gar die erste Platin-Auszeichnung überhaupt für eine Depeche-Mode-Single ein.

Vielleicht war es ja tatsächlich eine Nebenwirkung ihrer Auftritte vor 60.000 Menschen in amerikanischen Stadien, dass die Rezensionen für *Violator* bei dessen Veröffentlichung im März 1990 besser ausfielen als sonst. So pries der *Melody Maker* das Album als ihr „einnehmendstes Album bis jetzt", während der *NME* auf „unverfälschte Emotionen" hinwies und „große Themen" erkannte, „die sich nicht so leicht in einem dreiminütigen Popsong fassen lassen".

Für manche Kritiker ließen sich jedoch alte Gewohnheiten nur schwer ablegen. So spottete etwa *Sounds* über „textliche Naivität" und „kindliche Schlichtheit". „Wenn William Burroughs für Gahan texten würde, wären Depeche Mode eine Naturgewalt", hieß es da. „Tut er aber nicht. Martin Gore schreibt für Gahan – und so sind Depeche Mode stattdessen urkomisch."

„Die Presse war immer noch ein bisschen schnippisch", bestätigt Mick Paterson, der sich bald schon mit diesem Schicksal abfand. „Die Kritiken für *Violator* waren nicht

Andy Fletcher versank in einer tiefen Depression.

> **„Unverfälschte Emotionen … große Themen, die sich nicht so leicht in einem dreiminütigen Popsong fassen lassen."**
> NME

durch die Bank umwerfend. Das ärgerte die Band, weil bei ihnen, so wie das bei den meisten Gruppen der Fall ist, nur das Schlechteste hängenblieb. Journalisten schossen sich immer auf Martin und seine Texte ein. Er weiß ja selbst, dass er nicht Kafka ist. Aber vermutlich haben Depeche Mode mehr Platten als Kafka Bücher verkauft."

Auch die amerikanischen Kritiker gaben sich lauwarm. Der *Rolling Stone* schrieb etwa, dass Gahan „schleimig und egozentrisch" klinge, und beklagte, dass die Band zu „verdrießlicher Pop-Psychologie" zurückgekehrt sei, aber die Musiker „niemals erzählten, warum sie so traurig sind". Dies stand im Widerspruch zu *Spin*, wo man lobende Worte fand: „[*Violator*] gibt die Stimmung der amerikanischen Nation wieder – Furcht, Zweifel, Unsicherheit."

Allerdings pfiffen Depeche-Fans auf die Rezensionen. Vielmehr eilten sie bereits am Tag der Veröffentlichung in die Plattenläden und hievten *Violator* umgehend auf Platz 2 in den UK-Charts, knapp hinter Phil Collins' süßlicher Monstrosität … *But Seriously*.

In den USA reichte es auf dem Weg zu Dreifach-Platin für Platz 7.

Nun war es auch wieder an der Zeit, auf Tour zu gehen und die wachsenden Fan-Scharen für ihr Vertrauen zu belohnen. Doch die Band nahm die enorme *World Violation*-Tour mit einem emotional aufgewühlten Frontmann in Angriff. Dave Gahan hatte erst unlängst seine Frau Joanne und seinen Sohn Jack verlassen. Ironischerweise hatten seine Versuche, sich durch das eheliche Schlachtfeld geleiten zu lassen, ihn in die Arme einer neuen Partnerin geführt. So hatte Gahan regelmäßig

Depechemode

violator

„[*Violator*] gibt die Stimmung der amerikanischen Nation wieder –
Furcht, Zweifel, Unsicherheit."

SPIN

Violator

TRACK LIST

World In My Eyes
Sweetest Perfection
Personal Jesus
Halo
Waiting For The Night

Enjoy The Silence / Interlude #2
(Crucified)
Policy Of Truth
Blue Dress / Interlude #3
Clean

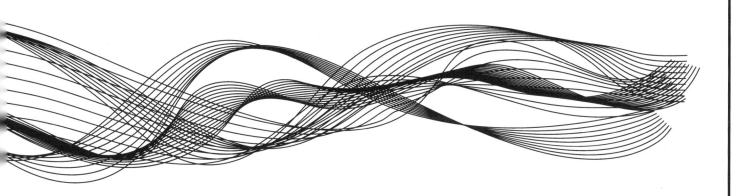

Aufnahmeorte: Logic, Mailand, Italien, Puk, Gjerlev, Dänemark; The Church und Master Rock, London, England sowie Axis, New York, USA

Produziert von: Flood & Depeche Mode

Besetzung:
Dave Gahan
Martin Gore
Andy Fletcher
Alan Wilder

Covergestaltung: Anton Corbijn

Veröffentlichung: 19. März 1990

Label: Mute CD STUMM 64

Höchste Chartposition:
UK 2, GER 2, FRA 1, SWE 6, CAN 5, SWI 2, US 7, ITA 6, AUS 42, SPA 1

„Dann, ganz plötzlich, entdeckte ich Heroin für mich. Ich würde lügen müssen, wenn ich behauptete, dass ich mich damit nicht gefühlt hätte ... *wie niemals zuvor.* **Ich fühlte mich, als wäre es genau das Richtige."**

GAHAN

transatlantische Telefonate mit der amerikanischen Pressesprecherin der Band, Teresa Conroy, geführt, die auch in Pennebakers *101* einen kleinen Auftritt hatte. Als sie sich nun im Rahmen der Tour persönlich trafen, wurden sie ein Paar.

Die *World Violation-Tour* war ein gewaltiges Unterfangen und umfasste eine gigantische Kulisse mitsamt monochromen Anton-Corbijn-Videos, die auf übergroße Leinwände projiziert wurden. Die Band flog mit dem Privat-Jet von Show zu Show, während 11 Trucks und eine 100-köpfige Crew ihr hinterherreisten.

Der Kartenvorverkauf für die 44 Nordamerika-Gigs verlief vielversprechend. Depeche waren zuvor noch nie in Florida aufgetreten. Dieses Mal jedoch starteten sie ihre Tour im Mai 1990 mit Shows in Pensacola, Orlando, Miami und Tampa vor insgesamt 45.000 Zuschauern.

Je größer die Location, desto schneller war diese ausverkauft. Innerhalb von nur vier Stunden waren gar die 42.000 Tickets für den Auftritt im New Yorker Giants Stadium ausverkauft. Das Starplex Amphitheatre mit einem Fassungsvermögen von 20.000 Leuten war gleichfalls umgehend ausverkauft. Als noch ein zweiter Termin angehängt wurde, wiederholte sich dieses Kunststück. Depeche traten zudem gleich drei Mal in der Sports Arena in San Diego auf.

Und auch die 48.000 Tickets für das abschließende Konzert im Dodger Stadium in L.A. waren sofort vergriffen. Als ob die Band ihr Glück auf die Probe stellen wollte, setzte sie dort noch einen weiteren Termin an, doch auch der war im Nu ausverkauft.

Depeche Mode saßen nun fest im Stadion-Tour-Sattel, in dem nur die größten Superstars Platz nehmen durften.

Sie spielten in einer Liga mit den Stones, Springsteen und Bon Jovi. Jahre später sollte Alan Wilder einen typischen Tag auf dieser Tour schildern. „Check-out aus dem Hotel um 13 oder 14 Uhr", erzählte er. „Aufbruch zum örtlichen Flughafen. Mit dem Privat-Jet und der engeren Entourage, zu der rund zwölf Leute zählten, auf in die nächste Stadt. Ankunft gegen 16 Uhr. Direkt weiter zum Soundcheck. Um 18 Uhr dann ins Hotel, falls Zeit dafür ist, kurz in die Sauna oder zum Workout. Abfahrt zum Gig um 18:45 Uhr. Konzertbeginn zwischen 20:30 und 21 Uhr. Runter von der Bühne um 23 Uhr. Dann ab ins städtische Nachtleben bis in die frühen Morgenstunden. Und das ganze 44 Mal!"

Das war die klassische Exzess-Blase, die man auf fast jeder viele Millionen Dollar schweren Tour fand. Abgeschottet von der Realität machte die Band ordentlich einen drauf. Zu den Unmengen von kaltem Lager gesellten sich auch Kokain und Ecstasy. „Ecstasy war angesagt, und man warf es nach jeder Show ein", erzählte Gahan Jahre später.

Der Sänger ging aber noch ein paar Schritte weiter. Da ihn, nachdem er Frau und Kind verlassen hatte, Schuldgefühle plagten, feierte er umso wilder mit seiner neuen Freundin Teresa Conroy und wandte sich nun dem Heroin zu.

„Ich trank und nahm Drogen, seitdem ich zwölf war", gestand er Q später. „Gelegentlich warf ich auch Phenobarbital meiner Mutter ein. Hasch. Amphetamine. Irgendwann auch Koks. Alkohol war immer im Spiel, das ging Hand in Hand mit den Drogen. Dann, ganz plötzlich, entdeckte ich Heroin für mich. Ich würde lügen müssen, wenn ich behauptete, dass ich mich damit nicht gefühlt hätte … *wie niemals zuvor*. Ich fühlte mich, als wäre es genau das Richtige. Als ob ich unverwundbar und unbesiegbar wäre. Pure Euphorie. Von dem Augenblick an, in dem ich es zum ersten Mal injizierte, wollte ich mich andauernd so fühlen."

Nach Tour-Abschluss vor insgesamt fast 100.000 Fans, die über zwei Abende verteilt ins Dodger Stadium geströmt waren, flog die Band weiter nach Australien. Darauf folgten sechs Gigs in Japan, zwei davon im Budokan in Tokio. Im letzten Quartal 1990 tingelten Depeche Mode durch Europa. Der Nachfrage nach Konzerten in Großbritannien entsprachen sie mit jeweils drei Auftritten in der Wembley Arena und dem NEC in Birmingham.

Als *World Violation* Geschichte war, hatten Depeche Mode vor beinahe 1.250.000 Menschen gespielt.

Wie sollten sie das noch toppen?

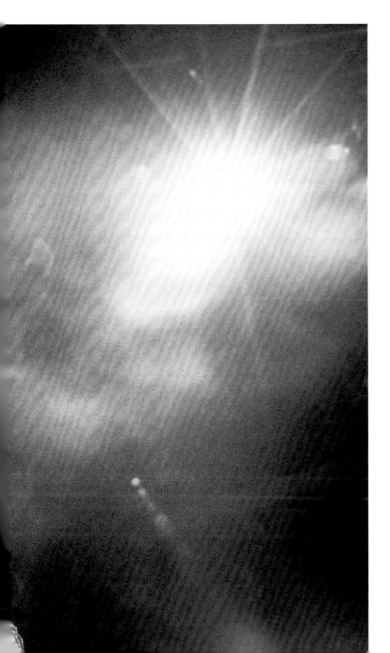

Die *World Violation*-Tour kommt nach Tokio, 1990.

8

„DIE EXZESSIVSTE TOUR ALLER ZEITEN"

unächst unternahmen sie überhaupt nichts. Die *World Violation*-Tour hatte sie ausgezehrt, weshalb sich der Großteil der Musiker zurückzog, um die Wunden zu lecken. Fletcher und Gore zeigten sich indes einmal mehr auch außerhalb der Band unzertrennlich, indem sie beide Vater wurden, Ersterer mit seiner langjährigen Partnerin Gráinne, Letzterer mit seiner texanischen Freundin Suzanne Boisvert, die er zwei Jahre zuvor in Paris kennengelernt hatte.

Kurz vor der Geburt von Gores Tochter Viva Lee offenbarte seine Mutter endlich die wahren Hintergründe seiner Zeugung. Pamela Gore erzählte ihrem Sohn, er sei aus einer kurzen Beziehung hervorgegangen, die sie mit einem im Königreich stationierten GI von 1960 bis 61 hatte – einem Schwarzen.

Das war ein ziemlicher Schock für Gore. Er hat sich selten öffentlich dazu geäußert, schaffte es aber bei einem späteren Abstecher in die USA, seinen afroamerikanischen leiblichen Vater aufzuspüren. Angeblich war es eine unangenehme Begegnung.

Laut einem Eintrag im Blog *Reading Pronunciation* des amerikanischen Musikfans Miles Goosens aus dem März 2012 fand das Treffen vermutlich in Bland County im Bundesstaat Virginia statt. Der Autor schrieb, er habe in dieser entlegenen Region der Appalachen einen Verwandten, der dort in einer Werkstatt arbeite, wo Elektronikkomponenten wie große Teile für Fabrikgeneratoren hergestellt würden.

Der einzige nicht-weiße Angestellte sei der Hausmeister, ein Dunkelhäutiger mittleren Alters, der merkwürdigerweise immer eine Baseballmütze von Depeche Mode trage. Als Goosens Verwandter diesen einmal im Scherz darauf ansprach, erhielt er eine überraschende Antwort.

„Martin Gore ist mein Sohn", erwiderte der Mann.

Während seiner Auszeit von der Band heiratete Alan Wilder seine Freundin Jeri Young. Zudem nahm er ein neues Recoil-Album auf, auf dem diesmal mehrere

VORHERIGE SEITE Dave Gahan live im Coliseum, Oakland, Kalifornien, 13. November 1993.

LINKS Dave Gahan in Rockgott-Pose.

UNTEN Martin Gore suchte und fand seinen leiblichen Vater.

Gäste sangen: Moby, Toni Halliday von Curve und Nitzer Ebbs Doug McCarthy.

Ein Mitglied von Depeche Mode nahm sich allerdings keine Zeit zur inneren Einkehr und Erholung. Da Dave Gahan nach seiner Scheidung von Joanne nicht wusste, wohin, zog er nach Amerika und ließ sich mit seiner neuen Partnerin Teresa Conroy in Los Angeles nieder. In seiner neuen Heimat lebte er sich dann „allzu schnell" ein.

Gahans Hang zum Rocker-Lifestyle hatte sich während der Tourneen *Music For The Masses* und *World Violation* noch stärker ausgeprägt. Nun, da er in die Stadt der Engel übergesiedelt war, ohne Familie oder kleinen Sohn, die ihn zurückgehalten hätten, dafür mit einer willigen Komplizin in Gestalt von Conroy, begann der Frontmann sich täglich neuen Ausschweifungen hinzugeben.

Depeche Mode mochten ursprünglich rein elektronische Musik gespielt haben und ein Gegenentwurf zu Rockklischees gewesen sein, doch in Dave Gahan schlummerte seit jeher ein verhinderter Rockstar, der sich danach sehnte, Grimassen zu schneiden und sich zu bewegen wie Mick Jagger, Freddie Mercury oder Jim Morrison. L.A. bot ihm hinlänglich Gelegenheiten, diese Fantasie auszuleben.

„Ich hielt mir sogar bewusst vor Augen: Es gibt verdammt noch mal keine Rockstars mehr!", gestand er Keith Cameron vom *NME*. „Niemand ist mehr willens, das konsequent durchzuziehen. Was also fehlt? Was wäre angebracht? Was fehlt mir? Die Songs kann jeder singen, aber wer meint es wirklich *ernst* damit? So kam es, dass ich ein Monster schuf. Ich irrte mich in der Annahme, es ernst zu meinen würde bedeuten, dass man freiwillig durch die Hölle gehen muss. Ich schleifte mich also durch den Dreck, um zu beweisen, dass ich dazu imstande war."

Was Musik betraf, verliebte sich Gahan in den machohaften, vor Testosteron strotzenden Heavy Rock, der aus L.A. dröhnte – die dekadenten Jane's Addiction, die sozial engagierten Rage Against the Machine –, und Grunge-Bands wie Nirvana, Pearl Jam oder Alice In Chains. Diese Neigungen spiegelten sich zusehends auch in seinem Erscheinungsbild wider.

Von seiner seelenverwandten Rockerbraut angespornt, ließ er sich wie Eddie Vedder schulterlange

Haare und einen Kinnbart wachsen, fuhr eine Harley Davidson und ging zum Tätowierer: ein keltischer Dolch hier, ein Hindu-Symbol dort, und unter einem Liebesherz an seinem Unterarm stand „TCTTM-FG", eine Abkürzung für „Teresa Conroy To The Mother-Fucking Gahan".

Dergleichen durfte man als harmlose Spleens begreifen, doch Gahans zunehmender Drogenkonsum war eine ernstere Sache. Das Paar begab sich in Sid-und-Nancy-Manier auf einen ausufernden Heroin-Trip, der dazu führte, dass der Sänger binnen weniger Wochen kaputt wirkte, abgehalftert und ausgemergelt.

Faktisch so wie das, was er nun war – ein Junkie.

Gahan hatte 1991 keinerlei Kontakt zum Rest von Depeche Mode. Im Rahmen seiner wenigen Besuche in London, um seinen Sohn Jack zu sehen, traf er sich jedoch mit Daniel Miller von Mute.

Dieser hatte seit 15 Jahren mit Rockbands zu tun und lange Zeit für Künstler wie Nick Cave gearbeitet, weshalb er erkannte, was aus Gahan geworden war, kaum dass er ihn zu Gesicht bekam.

> „Dave war großartig darin gewesen, den verlebten Rockstar zu spielen, doch siehe da – nun hatte er sich in einen verwandelt."
>
> **MILLER**

Rock-Einflüsse auf Dave Gahan: Jane's Addiction (links) und Rage Against the Machine (unten).

„Ich hatte ihn ein paar Monate lang nicht gesehen, und er entsprach dem klassischen Bild eines Junkies", erzählte Miller Steve Malins für *Depeche Mode: Die Biografie*. „Er hatte abgenommen und sah schrecklich aus; da wusste ich, dass er Heroin nahm.

Dave war großartig darin gewesen, den verlebten Rockstar zu spielen, doch siehe da – nun hatte er sich in einen verwandelt, und zwar sogar in dem Maß, dass sein Problem augenfällig war, obwohl er versuchte, es vor mir zu verbergen."

Gahan war sich in diesem prekären Zustand und abgeschottet mit Conroy in L.A. alles andere als sicher, ob er mit Depeche Mode weitermachen wollte. In seiner damaligen geistigen Verfassung kam ihm ihre ausgeklügelte, tadellose Musikmaschine fremd vor. Gegen Ende 1991 rief ihn dann Martin Gore an.

Der berichtete seinem Sänger, er habe ein paar Demos für ein neues Album aufgenommen. Als Gahan das Material erhielt, wozu frühe Fassungen von „I Feel You" und „Condemnation" gehörten, freute er sich darüber, dass sie viel deutlicher nach Blues und Rock klangen als erwartet.

„Ich war zutiefst erleichtert!", sollte er nach Jahren zugeben. „Unheimlich froh darüber, dass sich Martin von der Dance-Formel abwandte. Als er mir erste Blues-lastige Demos schickte, fand ich sie großartig. Ich stellte mich tatsächlich vor den Spiegel und spielte Luftgitarre!"

Nach ihrer einjährigen Pause kamen die Bandmitglieder überein, sich im Januar 1992 in Madrid zu treffen, um ihr nächstes Album in Angriff zu nehmen. Dort sahen die anderen drei zum ersten Mal, wie sich Gahan verändert hatte: Was aus ihm *geworden* war. Sie konnten ihr Entsetzen nicht verhehlen.

„Ja, ich hatte mich verändert, begriff es aber erst richtig, als ich Al, Mart und Fletch unter die Augen trat", sagte er 1997 in *Q*. „Wie sie mich anschauten … erschütterte mich."

Gahan war nicht wiederzuerkennen, obgleich Alan Wilder später rückblickend meinte, die Verwandlung sei absehbar gewesen.

„Um ehrlich zu sein, wunderte ich mich nicht sonderlich, als wir Dave in Madrid trafen", diktierte er Steve Malins für sein Buch. „Wir alle rechneten damit. Angesichts des Eindrucks, den er bei unserer letzten Begegnung gemacht hatte, und weil er nun in L.A. wohnte, konnten wir es uns denken.

Ich schätze, Dave lässt sich sehr, sehr einfach beeinflussen. Er ist von seinem Charakter her leicht angreifbar und neigt zu extremen Verhaltensweisen. Es kam also nicht überraschend … auch wenn es ein bisschen traurig war."

Die Mitglieder hatten kein gutes Verhältnis zueinander, und es sollte sich weiter verschlechtern. Ihr vorheriger Versuch, ein Album in einem angespannten, beengenden Klima einzuspielen – *Black Celebration* von 1986 –, war eine Katastrophe gewesen. Bald würden sie diesen Fehler wiederholen.

Produzent Flood hatte gerade U2s *Achtung Baby* fertiggestellt, wobei er wochenlang mit den Iren in Berlin auf Tuchfühlung gewesen war, und wollte die gleiche Arbeitsweise auf Depeche Mode anwenden. Folglich mieteten sie eine Villa knapp 40 km außerhalb Madrids und bauten sie zu einem bewohnbaren Studio um.

„Das war ein wirklich merkwürdiger Ort im weiteren Umkreis der Stadt, eine Art Anwesen mit Tor, wo sich genauso gut ausländische Verbrecher auf der Flucht hätten verstecken können", beschrieb es Daniel Miller. „Alles sehr gut abgesichert, große Gebäude, wunderschöne Gärten … aber irgendwie seltsam."

Flood sah für den Anfang zwei jeweils sechswöchige Sessions mit der Gruppe in Madrid vor, dazwischen eine einmonatige Pause. Schnell wurde jedoch klar, dass sie das Gemeinschaftsleben aufgrund ihres gegenwärtigen Befindens vor erhebliche Herausforderungen stellen würde. Miller bemerkte bei seiner Ankunft, dass etwas nicht stimmte:

Das Problem lag auf der Hand. Sie hatten sich länger nicht gesehen und durchaus drastische Veränderungen durchgemacht, sodass sie sich nicht mehr so zwanglos zusammenfinden konnten.

Als ich [eine Woche nach Beginn der Sessions] ins Haus kam, war die Stimmung grottenschlecht. Jeder schien sich in seiner kleinen Ecke zu verkriechen, sie beachteten einander überhaupt nicht. Alan trommelte im Schlagzeug-Raum vor sich hin, Dave hatte sich in seinem Zimmer eingeschlossen und malte … Fletch und Mart lasen die *Sun*.

Gahan (links) wollte mit Depeche Mode Alice In Chains (rechts) nacheifern.

> **„Ich war derart von der Rolle, dass ich nichts mitbekam. Ich malte in meinem Zimmer. Manchmal, wenn ich mich plötzlich kreativ fühlte, ging ich hinunter, dann wieder nach oben."**
>
> GAHAN

Weil sich Gahan auf Jane's Addiction und Alice In Chains eingeschossen hatte, bestand er darauf, das Album müsse rockiger, bissiger klingen. Gore sah sich dem Druck ausgesetzt, Songs mit dem gleichen kommerziellen Potenzial wie jene von *Violator* zu schreiben. Fletcher machten nach wie vor Depressionen und mangelndes Selbstvertrauen zu schaffen.

Als Hauptproduzenten des Albums einigten sich Flood und Wilder auf einen organischeren, lebendigeren Sound. Quälend langsam kristallisierten sich Songs heraus. „Condemnation" und „Walking In My Shoes" entstanden auf eine für Depeche Mode gänzlich unübliche Art: beim Jammen im Studio.

Beim Erstgenannten bot Gahan eine bestechende Leistung, indem er sich allein beim Singen in der Garage der Villa aufnahm. Man musste ihn zu Beiträgen nötigen, deren Qualität dann auch schwankte. Wiederholt verschwand er in seinem Zimmer, um zu malen oder seinen Verstärker mit angeschlossener Gitarre rauschen zu lassen.

„Dave war eindeutig heruntergekommen", sagte Wilder später. „Gelegentlich tauchte er auf, um ein paar Spuren einzusingen oder wenige aufbauende Worte zu verlieren, bevor er sich wieder verzog."

„Ich war derart von der Rolle, dass ich nichts mitbekam", räumte Gahan hinterher mit gewohnt entwaffnender Ehrlichkeit ein. „Ich malte in meinem Zimmer. Manchmal, wenn ich mich plötzlich kreativ fühlte, ging ich hinunter, dann wieder nach oben."

Nach der ersten Hälfte der Produktion atmeten alle erleichtert auf. Gahan flog nach L.A. zurück und ehe-lichte seine Komplizin Teresa Conroy zur Show eines Elvis-Imitators in der Graceland Chapel in Las Vegas.

Als die Mitglieder nach wenigen Wochen in Hamburg zusammenkamen, waren sie nur noch zu dritt. Andy Fletcher hatte die verkrampften Sessions in Madrid als unerträglich empfunden. Er war von jeher kein entscheidender musikalischer Faktor innerhalb der Gruppe gewesen und deshalb in London geblieben.

Wie sich herausstellte, arbeiteten sie in Deutschland produktiver als in Spanien. Gahan, Gore und Wilder mochten nun zwar miteinander jammen, klangen jedoch dank der Studio-Tricks, die Flood auf Tracks wie „Mercy In You" oder „Judas" anwandte, unleugbar nach Depeche Mode.

Zum Abschluss der Produktion in den Londoner Olympic Studios zog er sogar ein Gospel-Trio hinzu, das im bemüht euphorischen „Get Right With Me" mitsang. Gore sprach von schweren Vorbehalten der Idee gegenüber, hatte dann aber eine spirituelle Erweckung: „In dem Moment, als sie den Mund aufmachten, werteten sie das Stück auf."

Wenngleich Dave Gahan in jenen Tagen am schlimmsten in den Seilen hing, litten sämtliche Musiker von Depeche Mode unter den Auswirkungen ihres ausgelassen hedonistischen Lebenswandels. Ungefähr zur selben Zeit durfte ich mich bei einer bizarren Zufallsbegegnung selbst davon überzeugen, ausgerechnet in der Bar eines B & B in Minehead, Somerset.

Ich besuchte die Hochzeit eines gemeinsamen Bekannten der Band und mir aus der Musikbranche, des Toningenieurs und Tourmanagers Steve Toth. Als ich gegen drei Uhr morgens mit einem Freund in unsere Unterkunft zurückkehrte, stießen wir am Tresen auf drei Unerschrockene, die noch wach waren und im Halbdunkel tranken.

Es handelte sich um Gore, Fletcher und Wilder. Sie luden uns beide an ihren Tisch ein.

„Kommt her", verlangte Gore. „Wir brauchen einen Seelentröster."

Wir gingen hinüber. Was sollte das heißen?

„Er meint moralischen Beistand", übersetzte Wilder grinsend. Gore fixierte mich mit leicht benommenem Blick. „Die Sache ist die", begann er. „Ich habe im Lauf der Jahre viele Drogen genommen, ja? Viele Drogen. Aber keinen … Dachschaden. Dachschaden. Keinen. Oder?"

„Dave war eindeutig heruntergekommen …" Alan Wilder

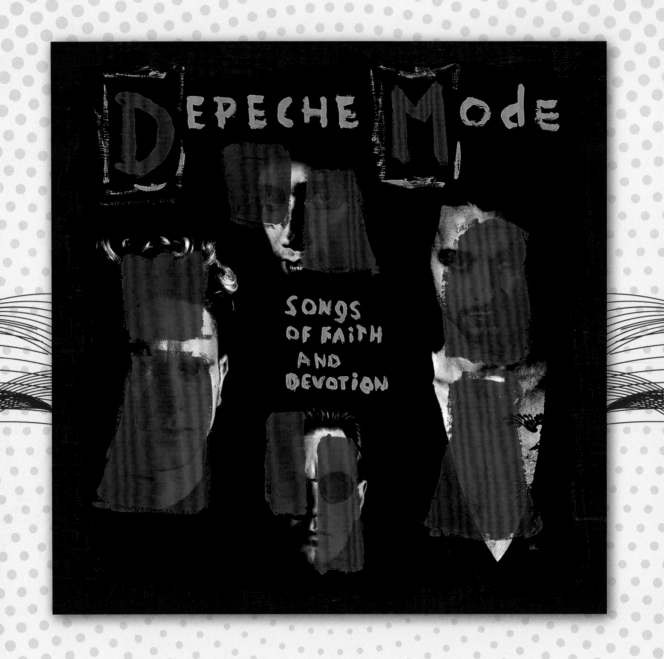

„Die Songs lassen Begierde noch verzweifelter erscheinen, verlockender denn je."

Songs of Faith and Devotion

TRACK LIST

I Feel You
Walking In My Shoes
Condemnation
Mercy In You
Judas

In Your Room
Get Right With Me / Interlude #4
Rush
One Caress
Higher Love

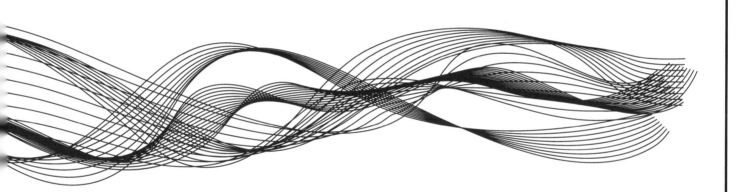

Aufnahmeorte:
Chateau Du Pape, Hamburg, Deutschland;
Villa-Studio, Madrid, Spanien

Produziert von: Flood & Depeche Mode

Besetzung:
Dave Gahan
Martin Gore
Andy Fletcher
Alan Wilder

Covergestaltung: Anton Corbijn

Veröffentlichung: 22. März 1993

Label: Mute CD STUMM 106

Höchste Chartposition:
UK 1, GER 1, FR 1, SWE 2, CAN 5, SWI 1,
US 1, ITA 6, AUS 14, SPA 2

Anscheinend hatten seine Gefährten angedeutet, eifriger Rauschmittelkonsum über längere Zeit hinweg beeinträchtige die Funktionsfähigkeit des Gehirns. Aus dem Stegreif verbindlich über Gores Kapazitäten zu urteilen fiel schwer, doch ich versicherte, er vermittle im Moment den Eindruck, klar bei Verstand und im Vollbesitz seiner geistigen Kräfte zu sein. Zufrieden mit meiner Antwort sackte Gore wieder auf seinem Stuhl zusammen, während ich eine Unterhaltung mit Fletcher und Wilder anfing.

Zwei Minuten später zupfte jemand an meinem Ärmel. Gore hatte das Bedürfnis, unser vorheriges Thema weiter zu erörtern …

Der Weg bis zur Vollendung des Albums, das *Songs Of Faith And Devotion* heißen sollte, war steinig. Flood nannte es die schwierigste Produktion seiner Karriere und kündigte an, nie mehr mit der Band zu arbeiten: „*Das* wollte ich mir nicht noch einmal zumuten!" Letztlich kam man aber irgendwie doch in den Genuss einer neuen Depeche-Mode-Platte.

Songs Of Faith And Devotion war ein eleganter, gehässiger, unruhiger „Schleicher" – Flood beschrieb es als „finster, stockfinster" –, während Kritiker seine Tiefe und Intensität lobten. David Quantick spielte mit seiner Einschätzung im *NME*, „die Scheibe übertrifft *Achtung Baby* in allen Punkten … Jeder vernünftige Mensch sollte sie besitzen" auf die Verbindungen via Flood und Corbijn zu U2 an.

In den USA schrieb die *New York Times*: „Die Songs machen Begierde noch verzweifelter, verlockender denn je." Der gegenüber Synth-Bands immerzu leicht hochnäsige *Rolling Stone* drückte sich weniger eindeutig aus, von wegen das Album sei „wie die Gruppe selbst düster, prätentiös und anziehend."

Man hätte aber sogar behaupten können, die Musik sei weniger authentisch als die von Milli Vanilli, ohne dass es sich auf die Verkäufe ausgewirkt hätte. Nach seiner Veröffentlichung am 22. März in Großbritannien und tags darauf in den USA erklomm es hier wie da die Spitze der Charts – genauso wie in Deutschland, Frankreich, Italien und so fort.

Nun galt es, damit durch die Lande zu tingeln.

Die *Devotional*-Tour sollte im Mai 1993 im französischen Lille beginnen und bis Ende Juli quer durch Europa führen. Für den Herbst standen 50 Termine in Nordamerika an, daraufhin weitere Konzerte im Königreich während der Vorweihnachtszeit.

Beim Abziehen seiner „ultimativen Rockstar-Masche": Dave Gahan.

LINKS Martin Gore.
RECHTS Andy Fletcher.
GANZ RECHTS Dave Gahan.
UNTEN Depeche Mode 1993 in London.

Anton Corbijn hatte über Monate hinweg ein aufwendiges Bühnenbild auf zwei Ebenen designt. Gore, Fletcher und Wilder sollten ihre Keyboards erhöht im Hintergrund vor zwei enorm großen Videowänden bedienen, die gnomenhafte, abstrakte Motive zeigten; die freie Fläche darunter, vor neun kleineren Screens, war Dave Gahan zum Herumstreifen und Abziehen seiner ultimativen Rockstar-Masche vorbehalten.

Die Tournee wurde als gewaltige weltweite Unternehmung konzipiert, doch mindestens zwei Bandmitglieder waren außerstande, sie zu bewältigen. Ungeachtet seiner Hochzeit mit Gráinne am 16. Januar blieb Andy Fletcher fahrig und labil. Seine Depression zog ihn immer tiefer hinunter.

Gahan ließ sich einen übergroßen Schutzengel mit gespreizten Schwingen auf die Schulterblätter tätowieren und unterzog sich intensivem Zirkeltraining, um für die Konzerte fit zu werden, doch intern machte er niemandem etwas vor. An seinem überhandnehmenden Drogenmissbrauch änderte sich nichts – und so hätte er auf keinen Fall touren dürfen.

Seine Heroinabhängigkeit war der Hauptgrund dafür, dass zu dem 120-köpfigen Reisetross auch ein Psychiater gehörte, der angeblich 4.000 Dollar wöchentlich erhielt.

Gahan behielt jedoch selbst im Drogennebel insofern den Durchblick, als er erkannte, dass sich die Devotional-Tour zu einem „fahrenden Irrenhaus" entwickeln würde. Jahre danach fiel ihr im Magazin Q der zweifelhafte Ruhm zu, „die exzessivste Tour aller Zeiten" gewesen zu sein.

Als im Mai der Startschuss fiel, war offensichtlich, dass sich die Show auch im übertragenen Sinn auf zwei unterschiedlichen Ebenen vollzog. Während Gore, Fletcher und Wilder teilnahmslos von oben nach unten starrten, wirbelte Gahan in seinem Gladiatorenring herum wie ein dürrer Iggy Pop. Gore und Wilder stiegen nur zum Gitarre- respektive Schlagzeugspielen bei „I Feel You" hinab.

Abseits der Bühne lebte Gahan zurückgezogen. Er schottete sich in einer gesonderten Garderobe ab, einer mit Kerzen und Stofftüchern im Stil von Keith Richards geschmückten Höhle. Seine Mitreisenden waren überzeugt davon, dass er dort drinnen Heroin drückte, doch niemand – auch nicht Jonathan Kessler, den man vom Buchhalter zum Tourmanager befördert hatte – fühlte sich imstande, einzugreifen.

Obendrein herrschte Uneinigkeit unter den anderen. Alan Wilder ärgerte sich oft über den schroffen, unmusikalischen Fletcher, was zu offener Antipathie auszuarten schien. Gahan und Wilder fuhren jeweils allein in einer Limousine zu den Konzerten, Gore und Fletcher nahmen eine dritte.

Journalisten, die sich für Reportagen einfliegen ließen, kehrten mit grellbunten Storys von einem umherziehenden Sodom und Gomorrha zurück. Sie behaupteten, Gahan hänge geistig weggetreten mit Drogendealern herum, man feiere Sexpartys nach den Shows, und die schönsten Damen im Publikum würden von den Roadies handverlesen in Depeche Modes Backstage-Gruft geführt.

Die Vorgruppe Spiritualized kam bei den ersten Auftritten schlecht an und musste sich von der Tournee ausklinken. Als Miranda Sex Garden, die ebenfalls bei Mute unter Vertrag standen, sie ersetzten, bahnte sich eine enge Freundschaft zwischen ihrer Geigerin Hepzibah Sessa und dem verheirateten Wilder an.

Trotz des feindseligen Klimas hinter den Kulissen lief Devotional blendend, ausverkaufte Arenen und Stadien wurden zum Alltag. Im Juni setzte Gahan seiner Rockstar-Pose in Mannheim einen obendrauf, indem er kopfüber in die Menge sprang.

Als die Gruppe wieder in London weilte, fragte die NME-Redaktion Depeche Modes Pressesprecher Mick Paterson, ob ihr Reporter Gavin Martin die Tournee begleiten dürfe, um eine Titelstory zu schreiben. Paterson willigte ein, war aber von Anfang an misstrauisch.

„Die Band sprach nur sehr widerwillig mit dem NME, doch ich überredete sie mithilfe des Labels dazu – immerhin war es eine Cover-Story", sagt er. „Also flog ich im Juli mit Gavin nach Budapest, als die Tour dort haltmachte.

Der NME war immer ein Ärgernis, und schon während des Flugs bereute ich, Gavin die Reportage erlaubt zu haben. Er tat es zweifellos nur, um Dreck aufzuwühlen. Ich spürte, dass nichts Gutes dabei herauskommen konnte."

Im Budapester Stadion Hidegkuti Nándor erhielt Martin Einlass in die Backstage-Gruft des Sängers, worüber er sich später in seinem Blatt echauffierte: „Gahans private Umkleide wurde höhlenartig abgedunkelt. Kerzen brennen auf den Tischen, Equipment-Koffern und anderen Oberflächen seiner provisorischen Reisemöblierung.

Aus seiner Stereoanlage dröhnt laute Musik, Räucherstäbchen verbreiten passend zur Atmosphäre, die er sich wünscht, den Geruch von Jasmin. An der Wand hinter ihm hängt ein roter Teppich … das volle Düster-Rock-Programm. Eine solche Ausstattung ist einer coolen Ikone angemessen: einem Mann, der einen Rockgott verkörpert – oder es zumindest versucht."

Genauso blumig beschrieb er Dave selbst. „Er sieht nicht gesund aus und singt auch dementsprechend. Seine Haut wirkt im schwachen Licht kränklich fahl, die Augen sind dunkel umrandet und wie in den Schädel zurückgezogen. Unter seiner Weste sieht man Tätowierungen am Bizeps und Oberkörper, doch die Innenseiten seiner Arme sind mit Flecken und Kratzern übersät.

Seine ‚Probleme' sind Depeche Modes schmutziges, kleines Geheimnis geworden – jeder im Lager der Band ist darüber im Bilde."

Weil Gahans Abhängigkeit merklich schlimmer wurde und er zusehends seinen Wirklichkeitssinn verlor, versuchte der Rest der Gruppe zu intervenieren. Ohne Erfolg.

„Sie sorgten sich ernstlich um meine Gesundheit, was ich aber natürlich nicht erkannte", erzählte Gahan später in Q. „Ich fuhr Mart an: ‚Hau ab! Lass mich in Ruhe! Du trinkst jeden Abend 15 Glas Bier und veranstaltest Theater, indem du dich nackt auszieht! Wie kann man nur so heuchlerisch sein?'"

Damit hatte Dave nicht ganz Unrecht. Gore gönnte sich allabendlich in der Tat stattliche Mengen Lager,

Dave Gahan: „Seine ‚Probleme' sind Depeche Modes schmutziges, kleines Geheimnis geworden."

„Eine eigene Limo hier, Zimmer auf getrennten Hoteletagen dort. Vermutlich sprach während der gesamten Tour niemand mit Dave."

MILLER

„Ich musste mich auf den Boden legen und konnte nur noch mit Ja oder Nein antworten. Als ich irgendwann aufstehen wollte, bekam ich vom Alkohol- und Drogenentzug Krämpfe."

GORE

wobei er seine Mitmusiker einmal wissen ließ, er habe 67 Pints in elf Stunden geschafft. Darin drückte sich seine Eigenart aus, denn er hatte bei aller Maßlosigkeit den Aufwand betrieben, mitzuzählen.

Als die Europakonzerte der Tournee am 31. Juli mit einem Auftritt im Stadion Crystal Palace in Südlondon endeten, hatte sich Gahan gänzlich von seinen Bandkollegen entfremdet. Zu dem Zeitpunkt bezogen sie sich hinter seinem Rücken mit einem Spitznamen auf ihn: „Arschgeige."

Nach dieser Show nahmen sich Gore und Fletcher eine Auszeit, während Wilder nach Dublin flog, um ein Livealbum zu *Songs Of Faith And Devotion* abzumischen. Gahan feierte in Los Angeles. Nach ihrem Wiedersehen im Herbst, um die *Devotional*-Tour in Nordamerika fortzusetzen, löste sich das Bandgefüge immer weiter auf.

Die Konzertserie stand von Anfang an unter keinem guten Stern, da Gahan mit Perry Bamontes Bruder Daryl, dem assistierenden Tourmanager, nach dem

ersten Gig in Québec City festgenommen und zu einer Polizeidienststelle gebracht wurde, nachdem er einen Angehörigen der Hotel-Security geschlagen hatte. Und es sollte noch viel, viel schlimmer kommen.

So wie sich Gahan immer weiter herunterwirtschaftete, zeichnete sich ab, dass sein Körper dies nicht ewig mitmachen würde. In der Lakefront Arena in New Orleans am 8. Oktober kollabierte der abgemagerte Sänger schließlich, kaum dass er nach Programmende von der Bühne trat.

Während sich Sanitäter hektisch um ihn kümmerten, spielten die drei anderen ohne ihn Zugaben, wobei die Filmsoundtrack-Nummer „Death's Door" ungewollt ironisch wirkte. Im Krankenhaus teilte man Gahan daraufhin mit, er habe einen Infarkt erlitten, der auf Rauschmittel zurückzuführen sei.

„Der Arzt riet mir, bei den restlichen Konzerten auf einem Hocker zu sitzen, weil mein Herz wohl nicht stark genug sein würde", legte er später dar. „Ich erwiderte: ‚Das geht nicht!' Also sagten wir den nächsten Auftritt ab – ich erholte mich einen Tag lang –, und danach machte ich einfach weiter."

Sechs Wochen später in Los Angeles, wo die Band fünf ausverkaufte Shows im 17.000 Zuschauer fassenden Forum spielte, führte Martin Gores Feierei dazu, dass er seinerseits im Hotel Sunset Marquis einen Anfall hatte.

„Ich besuchte einen Club und geriet an so einen Typen, der mir irgendein Zeug gab, woraufhin ich bis morgens um neun oder zehn durchmachte", rekapitulierte er hinterher. „Um zwölf stand ein Bandmeeting an, und ich schaffte es, eine Stunde zu schlafen.

Dann stand ich auf. Ich habe mich noch nie im Leben so schrecklich gefühlt. Zu dem Meeting bin ich regelrecht gekrochen. Ich musste mich auf den Boden legen und konnte nur mit Ja oder Nein antworten. Als ich irgendwann aufstehen wollte, bekam ich vom Alkohol- und Drogenentzug Krämpfe."

Nach L.A. standen noch zwei Auftritte in Mexiko-Stadt an, gefolgt von mehreren in Großbritannien, deren letzter vor Weihnachten in Wembley stattfand. Selten hatten Musiker von Bands eine Pause und Abstand voneinander so bitter nötig wie Depeche Mode zu jener Zeit – die dessen ungeachtet die schlimmstmögliche Entscheidung trafen.

LINKS Mag kein „Puppentheater": Andrew Eldritch, Sisters Of Mercy.

RECHTS „Ich habe mich noch nie im Leben so schrecklich gefühlt." Martin Gore

Die kostspielige Bühnenproduktion und die teuren Gewohnheiten – Übernachtungen in Spitzenhotels, Reisen per Privatjet – bedingten trotz fast einer Million verkaufter Konzertkarten, dass die *Devotional*-Tour bis dahin noch keinen allzu hohen Gewinn abgeworfen hatte. Darum wurde der Vorschlag laut, sie zu verlängern.

Das Thema war ein Streitpunkt. Gahan, Gore und Wilder wollten die Party unbedingt am Laufen halten und mehr verdienen. Fletcher, den der Zusammenbruch seines besten Freundes Gore verstörte, zumal er selbst am Ende seiner Kräfte war, sprach sich strikt dagegen aus. Auch Daniel Miller fand die Idee furchtbar.

„Ich war bei einigen Konzerten vor Ort gewesen, wo man nicht mit Dave reden konnte, weil er sich in seiner Umkleide einsperrte", erinnerte er sich in *Depeche Mode: Die Biografie*. „Martin trank viel und hatte überhaupt keine Freude an der Sache. Fletch war arg nervös und Al sehr distanziert."

Dann kam die Idee auf, nach Amerika zurückzukehren. Ich persönlich war total dagegen und machte das auch vehement deutlich … Falls sie dabei Geld scheffeln wollten und das der einzige Zweck war, sollte es so sein. Allerdings standen sie am Ende vor einem Scherbenhaufen."

Nachdem sie dann eine weitere Reihe von Shows in US-Arenen für den Frühling anberaumt hatte, gab die

Band im Februar zehn Konzerte in Südafrika. Alan Wilder wurde als nächstes Mitglied außer Gefecht gesetzt. Er lag für zwei Tage mit alkoholbedingten Nierensteinen im Krankenhaus.

Fletcher, der sich wegen der bevorstehenden Zusatztermine grämte und untröstlich war, nicht bei der Geburt seines zweiten Kindes zugegen sein zu können, versank noch tiefer in Depressionen, während die Tournee mehr schlecht als recht in Australien und Asien weiterging. Seine Verdrossenheit störte die Partylöwen Gahan und Wilder, die Gore sagten, Fletcher um sich zu haben sei ihnen zuwider.

Fletcher war dann schlichtweg nicht in der Lage, an den zusätzlichen US-Gigs teilzunehmen, und wollte es auch nicht versuchen. Nach dem Konzert in Honolulu auf Hawaii am 26. März 1994 sprang er von der Tournee ab, flog nach London und begab sich wieder in die Priory-Klinik. „Ich konnte einfach nicht mehr", gestand er später. „Es war ein Nervenzusammenbruch." Als Seitenhieb gedacht, teilte er Daniel Miller mit, keine weitere Tour mitzumachen, solange Wilder zur Band gehöre.

Dessen Hauptkomplize Daryl Bamonte, wenn es ums Feiern unterwegs ging, übernahm Fletchers Keyboard-Parts, während die Gruppe im April durch Südamerika holperte.

Wie von Licht angezogene Motten kehrten die angeschlagenen Depeche Mode anschließend mit einer abgespeckten, günstigeren Variante der *Devotional*-Bühnenshow in die USA zurück, quasi nach dem Motto: „Noch einen zum Abgewöhnen." Dieser letzte Abschnitt umfasste 34 Termine in Arenen und Hallen. Martin Gore sollte ihn den „Tropfen, der das Fass zum Überlaufen brachte" nennen.

Zu diesem Anlass fällte die Band den selbstmörderisch anmutenden Entschluss, Primal Scream im Vorprogramm auftreten zu lassen, die damals berüchtigtste britische Formation, wenn es um chemische Muntermacher ging. Die Anregung zu dieser Wahl gab Gahan.

„Ich hatte sie ausgesucht, weil mir zu Ohren gekommen war, dass sie gern Party machten", sagte er. „Zudem mochte ich ihr Album [*Screamadelica*] sehr und dachte, wir würden gut zueinander passen."

„Dave fand es toll, jemanden mit auf Tour zu nehmen, der ähnlich drauf war wie wir", bestätigte Wilder trocken. „Er verbrachte wirklich mehr Zeit mit ihnen als uns. Jeden Abend stellte er sich an den Bühnenrand und schaute ihnen beim Spielen zu."

Für Gahan wurden beim Jammen und Feiern durchgemachte Nächte mit den neuen Begleitern

zur Gewohnheit. Zu Primal Screams Gebaren zählten Handgreiflichkeiten auf der Bühne sowie Festnahmen wegen Erregung öffentlichen Ärgernisses durch Nackt- und Trunkenheit. Am 16. Juni schloss sich in New York *Select*-Journalist Andrew Perry dem Zirkus an.

Bei der Backstage-Versammlung der Musiker vor der Show „schnupfte Gahan beunruhigend viel Kokain" und bat Perry zu sich. Nach einem kurzen Wortwechsel drohte er schreiend, den Schreiber zu „verfluchen", biss ihm in den Hals und stürzte aus dem Raum.

„Ich ging davon aus, dass er völlig den Verstand verloren hatte", erzählte Perry verständlicherweise in *Q*. „Auf der Bühne war er dann aber gefasst und professionell."

„Ich erinnere mich nicht daran, das getan zu haben", behauptete Gahan mit dem Abstand vieler Jahre. „Seinerzeit übten Vampire eine eigenartige Faszination auf mich aus. Meine Wahrnehmung änderte sich allmählich, sodass ich wirklich glaubte, was ich mir einbildete. Zweifellos hätte ich ein Vampir sein können, zumindest in meiner Fantasie. In Los Angeles hatte ich sogar ein Bett in Form eines Sarges – ein wuchtiges, doppeltes, das wie ein Sarg aussah."

Nach 14 Monaten und 156 Konzerten kam die *Devotional*-Tour am 8. Juli 1994 im Deer Creek Music Center in Indianapolis auf eine Art zu ihrem Ende, die sich für Depeche Mode schickte. Bei seinem Versuch, zum Finale in die Menge zu springen, stürzte Dave Gahan mit einer Schulter in die Sitzreihen und schließlich auf den Betonboden, woraufhin man ihn in ein Krankenhaus einlieferte.

„Mein Körper hatte nichts mehr zum Verbrennen", sinnierte er später. „Ich knackste mir zwei Rippen an, brauchte aber 24 Stunden, bis ich etwas spürte, weil ich so betrunken war. Am nächsten Tag bekam ich unglaubliche Schmerzen. Ich blieb drei Wochen lang festgeschnallt."

Jeder verständige Mensch, der Depeche Mode und insbesondere ihren Frontmann beobachtete, wäre nach dieser Höllentour der Meinung gewesen, es müsse bergauf gehen … und hätte damit nicht „falscher" liegen können.

„Dave fand es toll, jemanden mit auf Tour zu nehmen, der ähnlich drauf war wie wir. Er verbrachte wirklich mehr Zeit mit ihnen als mit uns."

WILDER

Primal Scream: die denkbar ungesündeste Vorband.

9

ULTRA-
DESTRUKTIV

Is die chaotische *Devotional*-Odyssee im Sommer 1994 endlich zu Ende war, stellten sich bei Depeche Mode nach und nach wieder annähernd normale Zustände ein. Andy Fletcher, der in den letzten Wochen nicht dabei gewesen war, hatte den Entzug hinter sich und schlug sich wacker im Kampf gegen seine Depressionen.

Martin Gore schränkte seinen Alkoholkonsum ein, erholte sich von der Tournee und heiratete am 27. August seine Partnerin Suzanne Boisvert im Rahmen einer prunkvollen Hochzeitsfeier in Hertfordshire. Zum Empfang trafen in aller Frühe Dave Gahan und seine neuen Spießgesellen Primal Scream ein, mit denen er gerade auf der Bühne des Reading Festival gejammt hatte.

Da Alan Wilder unterwegs mit Hepzibah Sessa von Miranda Sex Garden zusammengekommen war, verließ er seine Ehefrau Jeri der Geigerin zuliebe. Nur vier Tage nach Gores Trauung entging das Paar knapp dem Tod.

Während einer Autofahrt im Urlaub in Perthshire in den schottischen Highlands kamen Wilder und Sessa bei einem Ausweichmanöver von der Fahrbahn ab, als ein Tornado der Royal Air Force an einer Steigung direkt vor ihrem Cabriolet abstürzte. Die beiden Piloten im Flugzeug starben. Wilder und seine Begleiterin blieben um Haaresbreite verschont.

Alan Wilder war nur unschuldiger Beobachter dieses tödlichen Unfalls, doch ein anderes Depeche-Mode-Mitglied setzte bei seinem eigenen ungenierten Tanz mit dem Tod rasch und bereitwillig einen drauf.

Im Zuge der *Devotional*-Tour verbrachten Dave Gahan und seine Frau Teresa zunächst wenige Wochen mit heftigen Partys in London; später hat er jene Phase als entscheidend dafür identifiziert, dass seine Heroinsucht „völlig aus dem Ruder lief". Nichtsdestoweniger besaß er noch so viel Vernunft, dass er erkannte, wie unangebracht ein Vorschlag seitens Conroy war.

„Teresa wünschte sich ein Kind", offenbarte er der Presse Jahre später. „Ich gab zu bedenken: ,Hör mal, wir sind Junkies.' Heroinabhängige haben Schwierigkeiten mit dem Wasserlassen, Stuhlgang, Samenerguss … nichts funktioniert. Du verlierst diese Körperfunktionen. Man steckt in einem seelenlosen Körper, ist eine leere Hülle.

Wie dem auch sei: Ich wollte nicht clean werden,

> **„Ich wollte nicht clean werden, sondern dachte, ich hätte meine Sucht im Griff. Ich glaubte, hin und wieder spritzen zu können."**
>
> GAHAN

sondern dachte, ich hätte meine Sucht im Griff. Ich glaubte, hin und wieder fixen, eine kleine Party feiern zu können – die dann einen Monat dauerte."

Im Herbst 1994 kehrten Gahan und Conroy in ihr Haus in Los Angeles zurück, wo der zunehmend scheue Sänger tiefer in seine Sucht abrutschte. In für das Krankheitsbild beispielhafter Manier blieb Heroin nicht bloß das, was er konsumierte; es wurde zu seinem einzigen Fixpunkt, seinem alleinigen Lebensinhalt, wie er später im *NME* zugab.

> Egal, wo ich war, dachte ich daran. Und an dem Punkt wird es problematisch. Sobald ich aufwachte, beschäftigte es mich. Ich war ein Junkie mit Geld – im Besitz unerschöpflicher Reserven davon!
>
> Eigentlich wollte ich nichts mehr außer meinem Stoff. Mich interessierten weder Autos oder Flugzeuge noch andere Rockstar-Staffagen. Damit konnte ich nichts anfangen! Ich hätte mich nicht getraut, auf meine Harley zu steigen, weil ich oben in den Canyons wohnte …
>
> Das war das Wahnsinnige daran: Ich hatte größere Angst davor, in einem Verkehrsunfall zu sterben, aber keine Bedenken dabei, mir Rauschgift in die Arme zu spritzen. Was ich über die Jahre hin jeden Tag tat.

Gahan gewöhnte sich die gleiche tödliche Routine an wie Kurt Cobain in den letzten Monaten der Abhän-

> **„Ich hatte größere Angst davor, in einem Verkehrsunfall zu sterben, aber keine Bedenken dabei, mir Rauschgift in die Arme zu spritzen. Was ich über die Jahre hin jeden Tag tat."**
>
> **GAHAN**

gigkeit vor seinem Selbstmord. Dave zog sich in einen Wandschrank in seiner Wohnung zurück. Dieser war sein Privatraum, wo er in Ruhe drücken konnte.

„Ich erinnere mich daran, dass Kurt das Gleiche tat. Er sagte, er habe ein Kämmerchen unter einer Treppe", so Gahan weiter. „In dem Schrank hatte ich genug Platz. Da waren ich, meine Kerze und mein Löffel, sonst nichts."

Während er psychisch und physisch abbaute, wagte er sich bald nur noch zum Beschaffen des Stoffs aus dem Haus. Wie er in *Q* erzählte, nahmen diese Aktionen rasch albtraumhafte Ausmaße an.

„Ich war dermaßen paranoid, dass ich immerzu eine .38er Pistole bei mir hatte. Diese Typen, zu denen man in die Stadt fährt, um sein Zeug zu bekommen, sind schwere Jungs. Die haben Knarren vor sich auf dem Tisch liegen.

Ich fürchtete mich vor allem und jedem. Um im Briefkasten nach Post zu schauen, wartete ich bis vier Uhr morgens und ging dann mit der Kanone, die hinten in meinem Hosenbund steckte, runter zur Einfahrt. Ich bildete mir ein, sie würden mich holen kommen – wer auch immer ,sie' waren."

Als fürsorglicher Vater war Gahan bis dahin stets in der Lage gewesen, sich zusammenzureißen, wenn sein Sohn Jack zu Besuch kam, doch nicht lange, und er schaffte nicht einmal mehr das. Im Bewusstsein der Tatsache, dass er einem neuerlichen Besuch Ende 1994 nicht gewachsen sein würde, bat er seine Mutter, einzufliegen und ihm zu helfen. Auch darüber sprach er in *Q*.

Eines Nachts, nachdem ich Jack ins Bett gebracht hatte und meine Mum eingeschlafen war, holte ich mein Besteck und setzte mir einen Schuss im Wohnzimmer. Daraufhin wurde ich ohnmächtig: Überdosis. Als ich wieder zu mir kam, lag ich ausgestreckt auf meinem Bett. Es war taghell, und ich hörte Stimmen aus der Küche. Da dachte ich: ,Scheiße, ich hab meinen ganzen Kram liegenlassen.'

Panisch stand ich auf und lief runter ins Wohnzimmer, doch das Besteck war weg. Also stürzte ich in die Küche, wo meine Mutter mit Jack saß, und fragte: „Was hast du mit all meinen Sachen gemacht, Mum?" Sie antwortete: „Sie draußen in den Abfall geworfen."

Ich eilte hinaus, sammelte sechs schwarze Säcke ein – fünf stammten von meinen Nachbarn – und schüttete sie auf dem Küchenboden aus. Auf allen vieren durchstöberte ich den Müll anderer Leute, bis ich fand, was ich brauchte. Dann sperrte ich mich im Bad ein.

Kurz darauf klopfte es an der Tür, und sie flog auf. Da standen mein Sohn und meine Mutter, wohingegen ich mit offenen Wunden und alledem am Boden lag. Ich behauptete: „Es ist nicht das, wonach es aussieht, Mum. Ich bin krank. Ich muss Steroide für meine Stimme nehmen …" So einen elenden Stuss gab ich von mir.

Schließlich schaute ich auf. Meine Mutter erwiderte den Blick, sodass ich sagte: „Mum, ich bin ein Junkie. Ein Heroinabhängiger." Sie entgegnete: „Ich weiß, Schatz."

Diese betrübliche Episode endete damit, dass Jack seinen Dad bei der Hand nahm und drängte, einen Arzt aufzusuchen, damit er „nicht mehr krank" sei. Gahans Mutter, die nach einigen Tagen zurück nach England flog, ließ ihn wissen: „Wir wollen nicht, dass du stirbst."

„Doch nicht einmal das hielt mich auf", beichtete er später. „Es reichte nicht."

Der Sänger begann über Weihnachten 1994 einen Entzug in Arizona und ließ sich während der ersten Hälfte des folgenden Jahres mit Unterbrechungen in verschiedenen Kliniken therapieren. Die Verlockungen der Nadel waren jedoch stärker als sein Wunsch, seine Sucht zu überwinden. „Ich nahm völlig zugedröhnt an

„Eigentlich wollte ich nichts weiter außer meinem Stoff."

Meetings teil, wo ansonsten nur Leute waren, die die Sache ernst nahmen", beschrieb er es später.

Als es Gahan schließlich gelang, für einen sechswöchigen Aufenthalt in Arizona auf die Zähne zu beißen, äußerte er am Ende der Entziehungskur seiner Frau gegenüber das Gefühl, er sei auf dem Weg der Besserung. Sie reagierte alles andere als ermutigend.

„Wir aßen auswärts zu Mittag, wobei sie sagte: ‚Ich höre nicht mit dem Trinken oder den Drogen auf, nur weil du es tun musst!'", erinnerte er sich. „Sie fixte nicht regelmäßig wie ich, doch in der Klinik hieß es, falls einer in einer Beziehung nicht drogenfrei werden wolle, sei es auch für den anderen unmöglich.

In dem Moment wusste ich, dass wir uns trennen mussten, oder ich hätte keine Chance gehabt. Ich hatte geglaubt, wir würden uns lieben; nun denke ich, es war eine ziemlich einseitige Liebe."

Gahan wurde zwangsläufig rückfällig. Kurze Zeit später verließ seine Frau ihn. Sitzengelassen zu werden läutete eine weitere Phase intensiven Drogenmissbrauchs ein.

„Vertrauensprobleme ziehen sich wie ein roter Faden durch mein Leben, und als Teresa verschwand, nutzte ich das als Vorwand, um mich gehenzulassen und noch schlimmer zuzurichten", erklärte er. „Ich war fest entschlossen, es bis auf die Spitze zu treiben. Meine Frau hatte mich verlassen, und meine Freunde wandten sich von mir ab, also scharte sich ein Haufen Junkies um mich.

Ich erkannte genau, was vor sich ging. Ich hatte Geld, ich hatte Drogen, und aus dem Grund kamen sie zu mir. Das machte mich noch wütender."

Gahans Verfall beschleunigte sich. Einmal wachte er nach einer Überdosis im Haus eines Dealers in Hollywood auf dessen Rasen auf. Der Mann hatte ihm Brieftasche, Armbanduhr und Schmuck abgenommen, ihn hinausgeworfen und seinem Schicksal überlassen. Als Dave wieder bei Besinnung war, schlug er gegen die Haustür. Eine Frau, die öffnete, trug seine Uhr.

Wenige Tage danach fuhr er zum selben Ort, um wieder Drogen zu kaufen. „Ich musste", zitierte ihn später Q. „Das waren meine sogenannten Freunde."

Derweil sich Gahan auf seiner Seite des Atlantiks nach allen Regeln der Kunst selbst zerstörte, bahnten sich auf der anderen einschneidende Veränderungen bei Depeche Mode an. Alan Wilder gab bekannt, er werde die Band verlassen. Die Entscheidung war ihm nicht leichtgefallen. Gestört hatten ihn in zunehmendem Maß eine seines Erachtens ungerechte Arbeitsteilung unter den Mitgliedern und mangelnde Wertschätzung – vor allem seitens Gore – seiner vielen Stunden im Studio. Zudem hatte er sich immer weniger damit abfinden können, nur genauso viel Geld für seine Beiträge zu bekommen wie Fletcher, der entschieden „amusisch" bleibe.

Wilder beraumte ein Treffen mit Gore und Fletcher in London an, um ihnen seinen Beschluss zu unterbreiten. Ihre Reaktionen dürften als weiterer Beweis dafür dienen, dass zwischenmenschliche Interaktion nie eine ausgesprochene Stärke von Depeche Mode war.

„Martin blieb gefasst, doch Fletch schien es arg persönlich zu nehmen, was ich nicht wirklich nachvollziehen konnte", erzählte er Steve Malins. „Ich sagte zu ihm: ‚Sieh mal, ich habe einfach genug davon, zu einer Band zu gehören. Es macht mir nicht sonderlich viel Spaß.' Er fühlte sich jedoch irgendwie als Mensch angegriffen. Martin nicht; der meinte nur: ‚Ja, okay' und gab mir die Hand."

Da Gahan – der Kollege, dem er am nächsten gestanden hatte – abwesend war und nicht ans Telefon ging, blieb Wilder in jenen Tagen, als noch kaum jemand an E-Mails dachte, keine andere Wahl, als den Frontmann per Fax über seinen Ausstieg in Kenntnis zu setzen. „Ich schrieb darin: ‚Also, ich habe versucht, dich anzurufen, Dave, doch du bist nicht zu erreichen. Gerade hatte ich ein Meeting mit den anderen und sagte ihnen, dass ich euch verlasse. Viel Glück.'" Auch daraufhin hörte er nichts von Gahan.

Zu seinem Ausscheiden gab er allerdings an seinem 36. Geburtstag eine Presseerklärung ab, dem 1. Juni 1995. Sie belegte, dass es beileibe keine freundschaftliche Trennung war – jedenfalls nicht, was ihn betraf.

Aufgrund meiner zunehmenden Unzufriedenheit mit gewissen Verhältnissen und Arbeitsabläufen innerhalb der Band habe ich mich

mit einigem Bedauern entschieden, Depeche Mode meine Mitgliedschaft aufzukündigen. Mein Beschluss, die Gruppe zu verlassen, war kein einfacher, nicht zuletzt im Hinblick auf die letzten Alben, auf denen sich das volle Potenzial andeutete, das wir ausschöpfen können.

Seit meinem Einstieg 1982 habe ich mich fortwährend bemüht, meine ganze Energie, Begeisterung und Leidenschaft einzubringen, um die Band erfolgreicher zu machen, und zwar trotz der immerzu unausgewogenen Aufgabenteilung bereitwillig. Leider wurde dieses große Engagement intern nie mit dem Respekt und der Anerkennung gewürdigt, die es verdient.

Während ich der Ansicht bin, dass sich unser musikalischer Output qualitativ verbessert hat, sind wir menschlich so weit auseinandergedriftet, dass ich nicht mehr denke, der Zweck heilige die Mittel. In Anbetracht dessen bleibt mir nichts anderes übrig als auszusteigen …

Dies war ein ziemlich vernichtendes Fazit – doch fühlte sich Wilder wirklich zu Recht chronisch von seinen Kollegen verkannt? Daniel Miller für seinen Teil glaubte, der Verdruss sei durchaus angebracht.

„Ich fand immer, die anderen würden ihn unterschätzen", reflektierte er in *Depeche Mode: Die Biografie*. „Oder genauer gesagt: Dave schätzte seine Leistung. Fletch spielte sie herunter, und Martin lebte eben in seiner eigenen Welt, ohne großartig Gedanken daran zu verlieren.

Es ging nicht nur um den musikalischen Beitrag. Alan war derjenige, der sich die Mühe machte, den Dingen auf den Grund zu gehen und Aufnahmen zur Kontrolle abzuhören. Er kümmerte sich um die Artworks und so weiter, zeigte großes Interesse an sämtlichen Aspekten."

Depeche Mode hatten ein Mitglied verloren – und dass es bei einem blieb, war nicht garantiert. Dave Gahans steiler Niedergang in Kalifornien sollte einen kritischen Punkt erreichen … und ein sehr öffentliches Thema werden.

Am 9. August 1995 wurde er zum zweiten Mal aus der Entzugsklinik in Arizona entlassen. Weil er sich schwertat, allein in seinem Haus in den Hollywood Hills zu leben, nun da Conroy fort war, checkte er in

> **„Belassen wir es dabei, dass unsere Beziehung extrem angespannt, immer frustrierender und letztendlich in bestimmten Situationen unerträglich geworden ist."**
>
> **WILDER**

seinem Stammhotel für Partys ein, dem Sunset Marquis unmittelbar am Sunset Boulevard.

Am 17. des Monats, also nur etwas mehr als eine Woche später, kehrte er in sein Haus zurück, um ein paar Kleider zu holen. Es war gründlich leergeräumt worden! Die Einbrecher hatten seine beiden Harley-Davidson-Motorräder, die Gerätschaften des Heimstudios, Stereoanlage und Möbel gestohlen, nicht zu vergessen Tonbänder mit Songs, an denen Dave gerade arbeitete.

Der Code der Alarmanlage des Hauses war ihnen zweifelsfrei geläufig gewesen, und um alles noch schlimmer zu machen hatten sie vor ihrer Flucht einen neuen einprogrammiert. Dadurch erkannte Gahan, dass es sich um Bekannte von ihm handeln musste.

„Das konnten nur Ortskundige gewesen sein", spekulierte er. „Jemand von meinen angeblichen Freunden, der wusste, dass ich einen Entzug machte, war eingebrochen. Ich dachte: Ich werd nicht mehr, das ist mein beschissenes Leben! Meine kleine Welt – Daveworld – brach auseinander."

„Kompromisslos zerstörungswütig" fuhr Gahan zum Sunset Marquis zurück, wo ihn eine Freundin besuchte. Was daraufhin geschah, beschrieb er in *Q*:

Ich berauschte mich schnell, indem ich eine Menge Wein trank und eine Handvoll Tabletten schluckte. Dann rief ich meine Mutter an, die meinte, Teresa habe behauptet, ich sei in keiner Klinik gewesen und würde anders als versprochen nicht versuchen, clean zu werden.

Das stimmte jedoch nicht. Ich bemühte mich nach Kräften.

Mitten im Gespräch unterbrach ich meine Mutter und bat sie zu warten, ich sei gleich wieder da. Ich ging ins Bad, schnitt mir die Pulsadern an den Handgelenken mit einer Rasierklinge auf, umwickelte sie mit Handtüchern und kehrte zum Telefon zurück, um mich zu verabschieden: ‚Mum, ich muss los, ich liebe dich sehr!‘

Nun setzte ich mich zu meiner Freundin und tat so, als wäre alles wie immer. Als ich die Arme hängen ließ, fühlte ich, wie das Blut floss. Die Schnitte waren so tief, dass ich meine Finger nicht mehr spürte. Meine Freundin ahnte überhaupt nichts, bis sie die Lache bemerkte, die sich am Boden ausbreitete.

Gahan sackte bewusstlos zusammen, und sie rief in Panik den Notdienst. Den Ambulanzen von Los Angeles war seine Adresse mittlerweile geläufig; erst später erfuhr er, dass man ihn dort unter dem Spitznamen „die Katze" kannte, weil er sozusagen schon mehrere Leben gelassen hatte.

Wegen der starken Blutung mussten sich die Sanitäter beeilen, also verzichteten sie auf eine Betäubung und vernähten Daves Wunden unverzüglich. Einer nahm sich allerdings die Zeit, den Radiomoderator Richard Blade von KROQ anzurufen und ihm zu erzählen, was passiert sei. Der DJ verkündete live in seiner Sendung: „Dave Gahan hat versucht, sich umzubringen."

Der Sänger wurde in einer Zwangsjacke ins Cedars-Sinai Medical Center gebracht. „Ich kam in die Psychiatrie, ein Zimmer mit gepolsterten Wänden. Kurz glaubte ich, im Himmel zu sein, wie auch immer es dort aussehen mag. Dann teilte mir so ein Weißkittel mit, dass ich den örtlichen Gesetzen zufolge mit meinem Selbstmordversuch eine Straftat begangen hätte. So was gibt's nur in L.A., oder?"

Mick Paterson, Depeche Modes Pressesprecher bei Mute Records in London, hatte sich inzwischen daran gewöhnt, Anfragen der Medien zu Gahans Gesundheit zu beantworten. „Für gewöhnlich log ich", räumt er heute ein. „Ich gab ihnen irgendetwas, aber verriet nicht die wahren Hintergründe. Man reimt sich einfach Geschichten zusammen."

Mute veröffentlichte eine kurze Erklärung mit den Fakten: „Dave Gahan, Depeche Modes Lead-Sänger, wurde gestern Morgen in Beverly Hills, Kalifornien, ins Krankenhaus Cedars-Sinai eingeliefert. Es geht ihm gut, und er rechnet mit einer baldigen Entlassung." Dies brachte nichts. Die Katze war aus dem Sack. Drei Tage später druckte das britische Klatschblatt *Daily Mirror* einen Artikel mit einem typisch reißerischen Titel ab:

ROCKSTAR SPIELT MIT DEM TOD

Als Gahan ohne polizeiliche Auflagen aus dem Cedars-Sinai entlassen wurde, nachdem er sich ein paar Tage auskuriert hatte, schlug er wieder im Sunset Marquis auf und machte weiter wie bisher. Sollte sein Suizidversuch ein Weckruf gewesen sein, hatte er ihn definitiv nicht gehört.

„Sobald ich draußen war, fiel ich in meinen alten Trott zurück", resümierte er später. „Ich blieb eine Weile clean, drückte aber schließlich wieder und brauchte jedes Mal mehr, wollte es schneller haben. Es war nie genug; ich musste es einfach so lange treiben, bis ich mein Bewusstsein verlor oder so.

Das ist mein Problem, das Problem jedes Abhängigen. Man weiß nicht, wann Schluss ist. So ging es mir. Es wurde schlimmer und schlimmer."

Mittlerweile lag die ausgedehnte *Devotional*-Tour länger als ein Jahr zurück, also hatten sich Martin Gore und Andrew Fletcher hinreichend erholt und besonnen, sodass sie bereit waren, wieder etwas zu bewegen. Die Frage lautete bloß: Gab es noch eine Band, mit der sich etwas bewegen ließ?

Nach Alan Wilders Ausscheiden und weil Dave Gahan offensichtlich kurz davorstand, aus der Welt zu scheiden, sah es wirklich finster für Depeche Mode aus. Lohnte sich ein neuerlicher Studioaufenthalt für eine Band, die kein einträgliches Zugpferd mehr war?

Daniel Miller bot den Musikern ein Übergangsprojekt an. Vor dem Hintergrund der Idee, ein neues Best-of-Album als Nachfolger zu *The Singles 81-85* zu veröffentlichen, schlug er vor, dass Gore zunächst zwei neue Songs komponiere und man dann weitersehen werde. Auch hatte er einen innovativen Einfall für die Wahl des Produzenten.

Angeregt von Gores beiläufiger Bemerkung, er würde es vorziehen, wenn der Sound des neuen Materials „ein bisschen Hip-Hop" wäre, legte Miller nahe, auf Tim Simenon zu setzen, der mit seinem elektronisch ausgerichteten Musikprojekt Bomb The Bass beträchtliche Charterfolge im Vereinigten Königreich hatte.

Als Produzent war der Mann mitverantwortlich für wesentliche Hits von Neneh Cherry oder Adamski und hatte mit John Foxx gearbeitet. Entscheidend zudem:

Er verehrte Depeche Mode als Fan und zeichnete unter anderem für Remixe von „Everything Counts" und „Enjoy The Silence" verantwortlich.

Simenon ließ sich prompt engagieren, und im Oktober 1995 flog der gebeutelte Gahan zu probeweisen Aufnahmesessions mit seinen beiden Kollegen. Indes war der kranke Sänger in Bezug auf seine Verfassung und den Verlust von Wilder alles andere als sicher, ob Depeche Mode eine Zukunft hatten.

„Ehrlich gesagt dachte ich, falls es einen Grund zur Auflösung der Band gab, dann das [Wilders Ausstieg]", äußerte er im Nachhinein. „Eine sehr wichtige Person hatte uns verlassen. Für mich klaffte da auf einmal ein großes musikalisches Loch. Die Inspiration und Kreativität fehlten."

Dennoch fand Gahan die frühen Demofassungen der Songs, die Gore ihm vorspielte, als sich das Trio mit Simenon im Eastcote Studio traf, so gut, dass er wieder Lust bekam.

„Ich wollte sie unbedingt aufnehmen", versicherte er. „Ich wollte die Lieder wirklich fertigstellen. Ein Großteil der Texte und das Gefühl, das die Melodien vermittel-

> **„Ich ging ins Bad, schnitt mir die Pulsadern an den Handgelenken mit einer Rasierklinge auf, umwickelte sie mit Handtüchern und kehrte zum Telefon zurück, um mich zu verabschieden: ‚Mum, ich muss los, ich liebe dich sehr.'"**
>
> GAHAN

„Bisschen Hip-Hop" gefällig? Tim Simenon macht's möglich.

ten, passten zu meinen Empfindungen und dem, was ich gerade durchmachte.

Zu der Zeit hielt ich es für eine gute Sache, mich darauf einzulassen, weil es mir beim Lösen meiner persönlichen Probleme half. Rückblickend betrachtet war ich dann aber nicht bereit dazu, sondern gab dem Heroin gegenüber der Band den Vorzug."

Im Laufe von sechs Wochen arbeiteten sie an drei von Gores Kompositionen: „Sister Of Night", „Useless" und „Insight". Gahans Sucht und psychische Labilität führten neben Fletchers musikalischer Ungeschlachtheit dazu, dass die beiden nur unregelmäßig im Studio aufkreuzten. Gore und Simenon, ein ähnlich ruhiger, bedachtsamer Mensch, knüpften hingegen bald übers Mischpult hinweg Bande.

„Ich sah Dave Gahan selten im Studio, und Fletch schaute auch nur gelegentlich vorbei, doch Martin und ich investierten viele Stunden", erzählte der Produzent Steve Malins. „Es gab heitere Momente, aber im Großen und Ganzen war es verdammt harte Arbeit."

Depeche Mode hielten die Sessions insoweit für vielversprechend, als sie sich darauf festlegten, ein weiteres Album anzugehen, und ein zweiter Aufenthalt im Eastcote vor Jahresende förderte weitere Tracks zutage, darunter das prägnante, mürrische „Barrel Of A Gun". Gahan, der die Flüge nach London leid war, bestand darauf, den dritte Studiotermin im April 1996 in New York zu buchen.

Dies war ein Reinfall. Nach ihrer Ankunft in den von Jimi Hendrix eröffneten Electric Lady Studios im Greenwich Village dämmerte Simenon, Gore und Fletcher rasch, dass sich Gahans Abhängigkeit womöglich verschlimmert hatte. Der abgezehrte, kraftlose Frontmann war schlichtweg außerstande, Leistung zu erbringen.

Gore brachte es später auf den Punkt: „Wieder verbarg er seine Sucht – log uns an. Er sagte Sachen wie: ,Alice In Chains sind nächste Woche in der Stadt, wollen aber nichts mit mir zu tun haben, weil ich jetzt clean bin!'"

„Ich war meistens immer noch dicht und den Rest der Zeit über platt von meinem Rausch", so Gahan selbst. „Es wurde überdeutlich, dass ich nicht länger als eine halbe Stunde hinterm Mikrofon stehen konnte, ohne mich hinlegen und sterben zu wollen."

Im Village entstand nur eine Gesangsspur, nämlich für „Sister Of Night", und selbst diese stückelte Simenon aus vielen abgebrochenen Mitschnitten zusammen. Bemerkenswerterweise zählt Gahan sie heute zu seinen Lieblingsdarbietungen. „Ich kann hören, wie ängstlich ich war, und bin froh, dass es den Song gibt,

um mich daran zu erinnern. Ich sah ein, welches Leid ich meinen Mitmenschen zufügte."

Die Band schrieb das Debakel in New York als Stümperei ab und bat Gahan, sich in L.A. auf seine Genesung zu konzentrieren. Er willigte ein und wandte sich an die Gesangslehrerin Evelyn Halus, woraufhin Tim Simenon nach Hollywood flog, um Gahans Vocals in einem Studio in der Nähe seines Wohnsitzes aufzunehmen.

Das Einverständnis des Frontmanns mit dem Plan war nichts weiter als ein Lippenbekenntnis. Inzwischen baute er eine Beziehung zu der Schauspielerin Jennifer Sklias auf, die er beim Entzug in Arizona kennengelernt hatte. Bei ihrem Abschied voneinander in New York wusste sie, was er im Schilde führte.

„Als ich aufbrach, schaute sie mir in die Augen und sagte: ,Du wirst dich wieder zudröhnen'", führte er aus. „Ich antwortete mit ,Jepp', worauf sie erwiderte: ,Niemand zwingt dich.' Ich antwortete: ,Doch.' Dann flog ich nach Hause und feierte meine bis dahin übelste Orgie."

Dave mietete nun ein Apartment in Santa Monica, kehrte aber lieber zum Schauplatz seiner zügellosesten Exzesse zurück: ins Sunset Marquis. Nach dem Einchecken am Abend des 27. Mai 1996 steuerte er erneut – oder eventuell zum letzten Mal – auf ein Koma zu.

Er nahm eine junge Frau, die er in der Hotelbar getroffen hatte, mit auf sein Zimmer und rief einen Dealer an, der dann vorbeikam. Da Heroin allein mittlerweile zunehmend schwächend auf ihn wirkte, injizierte er es für gewöhnlich mit Kokain gemischt, Speedballs also. Dazu schickte er sich jetzt an.

„Es war Red Rum, eine besonders starke Sorte Heroin", gab er später in Q an, „und hat schon so einige Leute umgebracht. Ich dachte natürlich, die Bezeichnung würde sich auf das gleichnamige Rennpferd beziehen, bis mich jemand darauf hinwies, dass sich rückwärts gelesen ,murder' ergibt."

Am 28. Mai um 1 Uhr morgens schaute Gahan dem Händler beim Füllen einer Spritze im Bad zu, während die Frau in seinem Schlafzimmer wartete.

„Jene Nacht war irgendwie merkwürdig", fuhr er im selben Interview fort. „Ich weiß noch, wie ich den Typen bat: ,Nicht ganz vollmachen. Misch nicht zu viel Koks unter.' Mir war nicht ganz geheuer."

Der Dealer beachtete dies wohl nicht. Wenige Minuten nach der Injektion stellte sie sich als Überdosis heraus. Nachdem er den bewusstlosen Sänger vom Bad ins Schlafzimmer geschleppt hatte, floh der Mann in Panik, kehrte aber kurz darauf zurück, um seine Utensilien und Nadeln zu holen.

Die verstörte Frau, die mit ihrem scheinbar leblosen Gespielen sitzengelassen worden war, rief einen Krankenwagen. Solange dieser unterwegs war, versuchte sie, Gahan zu wecken, indem sie ihm Wasser überschüttete. Das klappte nicht. Sein Herz hörte zu schlagen auf, und er lief blau an.

Als der Notarzt eintraf, um sich ein letztes Mal um „die Katze" zu kümmern, sah es nach einem hoffnungslosen Fall aus. Auf der rasanten Fahrt zum Krankenhaus jedoch – es war abermals das Cedars-Sinai – gelang es wie durch ein Wunder per Defibrillator, das Herz wieder zum Schlagen zu bringen.

Noch in der Klinik wurde er wegen des Besitzes von Kokain und Nadeln zum Fixen festgenommen und in einem Rollwägelchen ins County-Gefängnis überstellt.

Jonathan Kessler zahlte eine Kaution von 10.000 Dollar, damit Gahan wieder freikam. Da Gore, Fletcher und Daniel Miller 5.000 Meilen weit weg in London waren, gab es niemanden aus dem Umfeld von Depeche Mode außer Kessler, um ihm in kritischen Situationen beizustehen. Er fungierte nun als Bandmanager und war dieser Funktion bereits häufig ohne Klage nachgekommen.

Wieder ins Sunset Marquis zurückgekehrt, berauschte sich Gahan, als wäre nichts gewesen, zwei, drei Tage lang weiter. „Dann kehrte ich in das Haus zurück, das ich in Santa Monica gemietet hatte, hockte mich auf die Couch und erkannte, dass ich nicht von der Stelle kam", erzählte er. „Ich dachte, ich würde sterben. Wenn ich mir einen Schuss setzte, spürte ich rein gar nichts."

Dave rief seine Freundin Jennifer Sklias in New York an, die selbst gegen die Drogensucht ankämpfte, ihm aber nicht helfen konnte. Zu dem Zeitpunkt war ihm klar, dass er aufhören wollte; er wusste bloß nicht, wie. Es war ein Glück, dass ihm bald jegliche Wahlmöglichkeit genommen wurde.

„So etwas hätte eigentlich nicht passieren dürfen."

Jonathan Kessler meldete sich und bestellte ihn zu einem Treffen in rechtlicher Sache bezüglich seiner Festnahme. Als sich der Sänger bei ihm einfand, erwies sich der vorgebliche Anlass als Finte. Statt einer Besprechung hatte Depeche Modes Manager eine Intervention mit allen Schikanen vorbereitet.

Bob Timmins war einberufen worden, ein Drogenberater aus Los Angeles, der sich darauf spezialisiert hatte, Promis und andere Personen der Öffentlichkeit bei der Entwöhnung zu unterstützen. Er selbst hatte eine Abhängigkeit hinter sich und mehrere Jahre in Haft verbracht, unter anderem wegen bewaffneten Raubes. Zu seinen Rockstar-Patienten zählten auch Mitglieder der Rolling Stones, von Mötley Crüe und den Red Hot Chili Peppers.

Kessler und Timmins stellten klar, dass Gahan noch eine Entziehungskur machen müsse – umgehend.

„Ich sagte: ‚Niemals'", berichtete der. „Sie beharrten: ‚Und ob.' Ich dann: ‚Na gut, morgen', wobei ich glaubte, vorher nach Hause fahren und mir noch einen Schuss genehmigen zu können. Sie erwiderten: ‚Nein, sofort.' Ich fragte: ‚Wie wäre es mit heute Abend?' – Sie: ‚Nein.'

Als ich um ein paar Stunden Aufschub bat, um meine Mutter anzurufen, ließen sich mich gehen. Jonathan wollte mich abholen kommen. Daheim machte ich meinen letzten Deal, ließ meine letzte kleine Party steigen und mich schließlich in eine Klinik einweisen."

Verglichen mit seinen vorherigen, relativ lockeren Erfahrungen in der Therapie herrschten bei Exodus Recovery in Marina del Rey strenge Regeln. Das gefängnisartige Tagesgeschäft begann jeden Morgen um 7 Uhr mit Meetings, und Patienten durften den Komplex zunächst nicht verlassen. Unter Gahans Mitbewohnern befand sich auch Hollywoodschauspieler Robert Downey Jr.

Das fruchtete. Während der qualvollen ersten Wochen machte Dave einen kalten Entzug zur Entgiftung. Bisweilen wurde er gefesselt, um seinen geschundenen, entkräfteten Körper unter Entzugserscheinungen ruhigzustellen. Es war ein hässlicher, schmerzhafter Prozess – doch er stand ihn durch.

Gahans Fortschritte in der Behandlung stimmten die kalifornischen Justizbehörden milde, weshalb bei seinem Gerichtstermin am 30. Juli sämtlichen Anklagen unter der Voraussetzung fallengelassen wurden, dass er clean bleibe. Er musste alle 14 Tage eine Urinprobe abgeben, und jedwede Zuwiderhandlung würde eine prompte Rückkehr in den Knast bedeuten.

„Ich hatte es satt, mein Umfeld zu verletzen. Ich wollte meinen Sohn nicht verlieren. Er sollte nicht mit der Frage aufwachsen, warum sich sein Vater umgebracht hatte."

GAHAN

Gahan nach seiner Überdosis mit Anwalt vor Gericht.

Dieses drakonische Abschreckungsmittel war offenbar ein maßgeblicher Grund für Dave Gahan, dem Heroin nach fünf seelisch zermürbenden Jahren endgültig abzuschwören. Genauso wichtig war aber der Umstand, dass jede strapazierte Faser seiner Person danach verlangte.

„Ich hatte es satt, mein Umfeld zu verletzen", erläuterte er in Q. „Ich wollte meinen Sohn nicht verlieren. Er sollte nicht mit der Frage aufwachsen, warum sich sein Vater umgebracht hatte. Das alles wurde mir immer deutlicher bewusst. Und plötzlich kapierte ich: Es gab Hoffnung."

Gahan verstand, dass diese zweite Chance – ein neues Leben – vollkommene Abstinenz erforderte; falls er wieder Alkohol trank, würde er auch bestimmt erneut Drogen nehmen. Nach vier Wochen in der Exodus-Klinik lebte er gemäß Gerichtsanordnung ein halbes Jahr unter anderen Abhängigen in einem „Heim für nüchternes Wohnen" in Los Angeles. Schließlich setzte er die Gesangsaufnahmen für ein neues Depeche-Mode-Album mit Tim Simenon in einem ortsnahen Studio fort.

Während Gahan seinen Drahtseilakt zwischen Leben und Tod vollführte, hatten Simenon, Gore und Fletcher in den Londoner Abbey Road Studios die Arbeit an einem Album fortgesetzt, dessen Titel Ultra nun feststand. Man einigte sich auf eine Zusammenkunft mit dem Sänger, um die Platte in trockene Tücher zu bringen.

Diese Wiedervereinigung hätte ein schmerzliches, ressentimentgeladenes Unterfangen werden können, gelang aber letztlich reibungslos.

„In gewisser Weise entlastete er [Gahans öffentlicher Absturz] ein wenig", sinnierte Gore auf seine typisch Art des Understatements. „Niemand rechnete mit einem weiteren Album, schon gar nicht mit einem guten."

„Dave hat am Ende die Kurve gekriegt", ergänzte Fletcher lapidar. „Er gab sowohl die Drogen als auch das Trinken auf und schloss seine Gesangsaufnahmen ab. Kurz gesagt, bekam er sich wieder in den Griff."

„Ich glaube, die Tatsache, dass sie dieses Album machten, verwunderte alle, die der Band nahestanden", fügte Daniel Miller an. „Auch die Medien, die Depeche Mode beobachteten."

Das Bemerkenswerte an Ultra war, dass es sich nicht bloß um ein weiteres Album der Gruppe handelte, sondern um ein großartiges. Der Single-Aufhänger „Barrel Of A Gun" stellte die Weichen, indem er den vierten Platz in den britischen Charts erreichte, und im

Video von Anton Corbijn taumelte Gahan desorientiert mit aufgemalten Augen in Marokko umher, während er aufs Korn genommen wird.

Dass er den Clip „durchaus autobiografisch" auffasste, überraschte nicht. „Er sollte ausdrücken, wie man ständig vorm Leben davonläuft, es meidet und seine Gefühle verdrängt … an und für sich wie ein Junkie."

Im Gegensatz zu den verhältnismäßig bluesigen, beim Jammen erarbeiteten Stücken von Songs Of Faith And Devotion markierte Ultra unbestreitbar eine Rückkehr zu Depeche Modes elektronischen Ursprüngen, was sie größtenteils ihrem Produzenten verdankten. Wo Alan Wilder zu klanglichen Schnörkeln tendiert hatte, setzte Simenon auf Minimalismus – und Authentizität.

Die herausragende Nummer der Scheibe dürfte „It's No Good" sein, die zwei Wochen vor ihrer Veröffentlichung im März 1997 ausgekoppelt wurde. Sie gelangte ebenfalls in die britischen Top 5 und profitierte von einem weiteren glänzenden Corbijn-Video, diesmal mit Gahan als posierendem Rockstar in einem schmierigen Varietéclub.

Ultra erschien am 14. April des Jahres und rief wie gewohnt gemischte Resonanzen hervor. Die Zeitschrift Vox beispielsweise nörgelte: „Je länger man sich damit befasst, desto schlechter scheint es zu werden." Umsichtigere Rezensenten entdeckten allerdings verborgene dunkle Perlen unter der glatten, anziehenden Oberfläche. In Q schrieb Fürsprecher Steve Malins, ihr späterer Biograf: „Es ist ein Album voller spröder, zerfahrener und manchmal wunderbarer Kompositionen. Es klingt dreckig und nach gelebten Erfahrungen statt leicht abseitig oder verklemmt düster."

Zum Verkaufsstart von Ultra gab Dave Gahan als das offene Buch, das er ist, eine Reihe freimütiger Interviews, die Beichten gleichkamen, über seine Sucht, den Selbstmordversuch, Überdosen und Entwöhnung. Die Journalisten wussten genau, woraus gute Storys gemacht sind, also überwog dieses Narrativ auch in den Medienberichten zum Album.

Gahan selbst sollte seine Ehrlichkeit bereuen – „Selbst in zehn Jahren werde ich für die Presse nur Junkie-Dave sein!" –, doch seine Aufrichtigkeit in Bezug auf sein Elend und Überleben weckte Mitgefühl und Liebe bei den langjährigen Fans. Die eingefleischtesten pilgerten zu zwei Ultra-Release-Konzerten in überschaubarem Ambiente im Londoner Adrenalin Village und in der Shrine Exposition Hall in Los Angeles.

„Es ist ein Album voller spröder, zerfahrener und manchmal wunderbarer Kompositionen. Es klingt dreckig und nach gelebten Erfahrungen statt leicht abseitig oder verklemmt düster."

Ultra

TRACK LIST

Barrel Of A Gun

The Love Thieves

Home

It's No Good

Uselink

Useless

Sister Of Night

Jazz Thieves

Freestate

The Bottom Line

Insight

Junior Painkiller

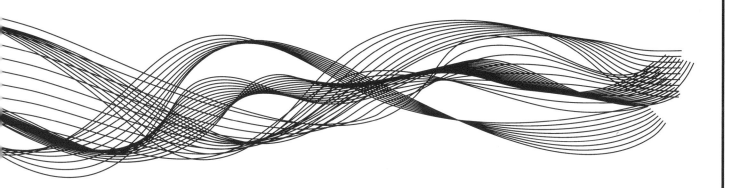

Aufnahmeorte:
Abbey Road, Eastcote, Westside, Strong-room, RAK Studios, London, England; Electric Lady, New York; Larrabee West, Los Angeles, USA

Produziert von: Tim Simenon & Depeche Mode

Besetzung:
Dave Gahan
Martin Gore
Andy Fletcher

Covergestaltung: Anton Corbijn

Veröffentlichung: 14. April 1997

Label: Label Mute CD STUMM 148

Höchste Chartposition:
UK 1, GER 1, FRA 1, SWE 2, CAN 5, SWI 2, US 1, ITA 6, AUS 14, SPA 3

Allerdings gab es keine Tournee zum Album. Mit Dave Gahan ging es aufwärts, aber er war noch nicht ansatzweise dazu imstande. „Es hat so lange gedauert, um herauszufinden, was ich wirklich mit mir selbst anfangen will", bemerkte er, „und Touren gehört definitiv nicht dazu." Martin Gore sagte genauso rundheraus: „Wir glauben nicht, dass wir eine weitere Tour überleben würden."

Ultra – das Album, das sehr lange allem Anschein nach entweder nie zustande kommen oder als posthumer Tribut an Depeche Modes Sänger dienen sollte, erklomm als zweites der Band die Spitze der britischen und außerdem der deutschen Charts. In den USA landete es auf einem achtbaren fünften Platz.

Die Gruppe und insbesondere ihr Frontmann waren durch die Hölle gegangen und wieder da, sodass sie davon erzählen konnten. Sie hatten eine ultra-destruktive Phase überlebt, doch es war verflucht knapp gewesen.

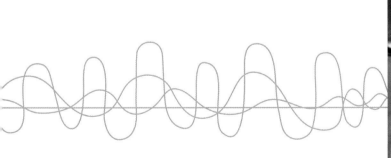

LINKS Premiere von *Ultra* im Shrine Auditorium in L.A.
RECHTS Fletcher und Gahan in Berlin: *Ultra* wird allerorts vergoldet.

10 DIE RUHE NACH DEM STURM

Is Dave Gahan wieder clean war, wusste er, dass er aus Los Angeles verschwinden musste, der Stadt seiner Exzesse, die so viele finstere Erinnerungen in sich barg. Er hatte die Chance erhalten, neu anzufangen, und dies war nicht der richtige Ort dazu.

Zum Glück wurde er an der amerikanischen Ostküste mit offenen Armen empfangen: Die Beziehung mit seiner Freundin Jennifer Sklias, die den Drogen ebenfalls den Rücken gekehrt hatte, war aufgeblüht, und so zog er Ende 1997 zu ihr und ihrem Sohn James nach New York.

Es war eine aufregende „Stunde null" in mehrfacher Hinsicht, und Anfang 1998 gab es für Gahan wenig Grund, die Stadt zu verlassen. Im Frühling flog er jedoch wieder nach London, um gemeinsam mit Gore, Fletcher und *Ultra*-Produzent Tim Simenon eine neue Depeche-Mode-Single aufzunehmen.

Das opulente, vielschichtige „Only When I Lose Myself" handelte Gore zufolge von Liebe, die sich zu Besessenheit auswachsen kann. Der Song zeigte die Band von einer besonders nachdenklichen, elegischen Seite und erschien am 7. September als Vorbote der angekündigten Greatest-Hits-Compilation *The Singles 86>98*. Er gelangte mit Mühe in die britischen Top 20, schoss hingegen in Spanien auf die Eins.

Als die Compilation später im selben Monat herauskam, verkaufte sie sich bemerkenswert gut. Sie war anders, ein dunkleres Gegenstück zu ihrem frechen, leuchtenden Vorgänger *The Singles 81–85*, aber eine ebenso eindrückliche Erinnerung daran, wie gut Depeche Mode die Disziplin Single beherrschten. Während sie sich in den UK-Charts unter den fünf erfolgreichsten Neuveröffentlichungen tummelte, besetzte sie in Deutschland, wie fast zu erwarten, den ersten Platz.

Die Band fällte zudem die mutige, angesichts der schwierigen Zeiten on tour in den vorangegangenen Jahren regelrecht verwegene Entscheidung, das Album auf einer Welttournee zu bewerben.

Die viermonatige Konzertreise Ende 1998 wurde bei einer Pressekonferenz in Köln angekündigt, die Martin Gore mit dem Schalk im Nacken eröffnete: „Tut mir sehr leid, aber Alan ist verhindert!" Allerdings sah mindestens ein Bandmitglied der ausgedehnten Tour mit einigen Bedenken entgegen.

Dave Gahan bekannte sich zu seiner „Angst" davor, in das Milieu zurückzukehren, wo er rauschgiftsüchtig geworden war, und erlegte sich vor Beginn der *The Singles Tour* ein sechswöchiges Fitnessprogramm auf. Sein Kollege Gore beschloss außerdem, nur noch zweimal pro Woche Alkohol zu trinken.

Als es dann tatsächlich losging, lief die Tournee beeindruckend glatt ab. Dank Anton Corbijns weniger aufwendiger Bühnenproduktion standen Gahan als visueller Fixpunkt und die Musik an erster Stelle. Da das Programm fast ausschließlich aus Single-Hits jüngeren Datums bestand, reagierte das Publikum mit Verzückung.

Die Tour, auf der Depeche Mode zum ersten Mal Estland, Lettland und Russland besuchten, wo sie wie Götter bejubelt wurden, ganz Europa abdeckten und zwei Monate lang Amerika beschallten, war eine Art Wohlfühlerlebnis für die Beteiligten. Gore und Gahan fanden kindliche Freude daran, die Bühne neuerdings nüchtern zu betreten.

Ein Journalist der britischen Sonntagszeitung *The Observer*, der am 18. September im Open-Air-Rund der Berliner Waldbühne zugegen war, bestaunte die Anwesenheit von „21.000 Gothics aus ganz Europa", ehe er treffend über das Verhältnis zwischen Gahan und Gore räsonierte: „Auf der Bühne wird klar, wie sehr sie einander brauchen. Gore allein ist ein unbekannter Wicht; Gahan allein ist ein banaler Rockstar-Verschnitt.

VORHERIGE SEITE Shoreline Amphitheater in Mountain View, Kalifornien.
LINKS Die *Singles Tour* in der Kölnarena.
RECHTS Alles wieder eitel Sonnenschein.

„Ein dunkleres Gegenstück zu ihrem frechen, leuchtenden Vorgänger *The Singles 81–85*, und eine ebenso eindrückliche Erinnerung daran, wie gut Depeche Mode die Disziplin Single beherrschten."

Singles 86>98

TRACK LIST

Stripped
A Question Of Lust
A Question Of Time
Strangelove
Never Let Me Down Again
Behind The Wheel
Personal Jesus
Enjoy The Silence
Policy Of Truth
World In My Eyes
I Feel You

Walking In My Shoes
Condemnation
In Your Room
Barrel Of A Gun
It's No Good
Home
Useless
Only When I Lose Myself
Little 15
Everything Counts (Live)

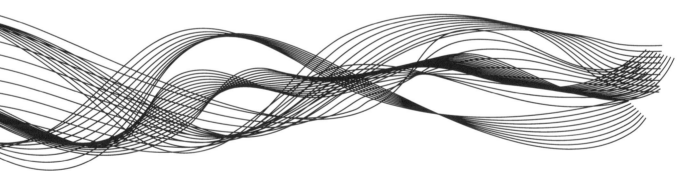

Produziert von: Dave Bascombe, Depeche Mode, Flood, Gareth Jones, Daniel Miller und Tim Simenon

Besetzung:
Dave Gahan
Martin Gore
Andy Fletcher
Alan Wilder

Covergestaltung: Mat Cook

Veröffentlichung: 28. September 1998

Label: Mute CDMUTEL5

Höchste Chartposition:
UK 5, GER 1, FRA 6, SWE 1, SWI 3, AUS 42, CAN 14, ITA 2, SPA 8, US 38

Zusammen aber geben sie ein eigentümlich überzeugendes Bild ab."

Nach dem letzten Konzert in Kalifornien kurz vor Weihnachten blieb Dave Gahan in Amerika. Am Valentinstag 1999 heiratete er Jennifer Sklias, nachdem er Mitglied der Griechisch-Orthodoxen Kirche geworden war. Vier Monate später bekam das Paar eine Tochter, Stella Rose.

Unterdessen versuchte Martin Gore in Hertfordshire, Songs für ein neues Studioalbum zu schreiben – was überhaupt nicht funktionierte.

Beim Tüfteln zuhause in seinem Studio stellte er fest, dass es zu nichts führte. Er probierte Ideen aus und verwarf sie wieder, litt zusehends unter einer Schreibblockade. Nach sechs Monaten rang er sich dazu durch, Hilfe zu suchen.

Gore bat den Tontechniker und Produzenten Gareth Jones, der seit *Construction Time Again* mit Depeche Mode in Verbindung stand, sowie den befreundeten Programmierer Paul Freegard darum, mit ihm zu arbeiten. Als sich die beiden bei ihm einfanden, rüttelte ihn das insofern auf, als er gezwungen war, ihnen Material zum Arbeiten zu geben.

Das Trio fertigte Demos von fünf Gore-Kompositionen an, bevor sich die Band der Frage widmete, wer ihr nächstes Album produzieren sollte. Gores Aufmerksamkeit erregt hatte speziell ein Mann, der seinerzeit angesagt war.

Es handelte sich um Mark Bell, den Mitbegründer des Techno-Duos LFO, der sich in den Jahren zuvor in der Szene für elektronische Musik als Produzent zweier auf himmlische Art und Weise verschrobener Björk-Alben hervorgetan hatte: *Homogenic* und *Selmasongs*, der Soundtrack zum Film *Dancer In The Dark*. Er freute sich, als Daniel Miller ihn anrief und unverbindlich nachfragte:

„Depeche Mode bedeuteten mir unheimlich viel, als ich so 15, 16 war. Mir gefiel, dass sie elektronische und organische Sounds stets als Einheit sahen. Ihre Musik lässt sich keinem bestimmten Genre zuordnen, sie entspricht keinerlei Klischees.

Als ich also die Chance erhielt, mit ihnen zu arbeiten, rechnete ich damit, dass es seltsam würde, doch so kam es mir dann überhaupt nicht vor. Ich hatte schon einen Remix des *Ultra*-Songs ‚Home' angefertigt, und sie mochten meine Interpretation sehr."

Die Jahrtausendwende zog erhebliche Veränderungen in Martin Gores Leben nach sich. Im Frühjahr 2000 siedelte er mit seiner Familie ins kalifornische Santa Barbara um. Gahan, Fletcher und Jones reisten im Juni

dorthin, um mit ihm das Album zu produzieren, das den Titel *Exciter* tragen sollte.

Da alle Bandmitglieder untypisch heiter und glücklich waren, ließen sie es gemächlich angehen. Im Vergleich zur nervösen Anspannung, den abgebrochenen Sessions und persönlichen Zusammenbrüchen während der Entstehung von *Ultra* lief die Arbeit in gelöster Atmosphäre ab.

„Meistens war es ziemlich relaxed", beschrieb Gahan die Zeit. „Jeder hatte so seine Gewohnheiten und Marotten, doch es ging recht locker zu, eine sehr erfreuliche Erfahrung."

Womöglich vollzog sich die Arbeit aber zu unaufgeregt und problemlos. Als das Ergebnis nämlich am 14. Mai 2001 erschien, hörte man ihm etwas zu deutlich an, dass Depeche Mode es sich in ihrer Komfortzone bequem gemacht und mitunter auch auf Autopilot geschaltet hatten. Von einem Aufreger oder Antreiber, wie der Titel *Exciter* suggerierte, konnte keine Rede sein.

Mark Bells subtiler, nuancierter Input sorgte dafür, dass das Album zu jeder Sekunde edel und einladend klang, doch zu viele Songs schienen gleichförmig und einschläfernd dahinzuplätschern. Das Tempo blieb auffallend einheitlich, ein getragenes träumerisches Säuseln.

Indes kam das Album natürlich nicht ohne Höhepunkte aus. „When The Body Speaks", aufgenommen in einem Rutsch, wobei Gahan zu Gores Akustikgitarre schmachtete, ehe Bell einen stimmungsvollen Elektroteppich darüberlegte, ist ein zerbrechliches Gebilde, auch wenn Gores überschwängliche Beschreibung, der Song klinge, „als würden die Righteous Brothers neben einem Rave auftreten", kaum haltbar war.

„The Dead Of Night" ist ein Ausreißer auf dem Album und zeigt Gahan wieder als Rockmonster. Raunend begleitet er eine anrüchige Nummer, von der Gore sagte, sie sei vom Beobachten von Drogenkonsumenten unter den VIP-Mitgliedern der Londoner Privatclubs angeregt worden: „Wir sind im Zombie-Versteck/ Essen mit Silberbesteck …"

„,The Dead Of Night' hat großen Spaß gemacht", sagte Gahan. „Ich durfte mich völlig gehenlassen … all meine Bowie- und Iggy-Fantasien ausleben und der düstere Grufti sein."

Dieses kernige, pulsierende Stück schien zu einem anderen Album zu gehören, denn auf *Exciter* reihten sich ansonsten versonnene, Ambient-lastige Leisetreter aneinander. Das abschließende „Goodnight Lovers" hätte auch ein Wiegenlied Gahans für seine kleine Tochter Stella Rose sein können und war nicht der einzige einlullende Track der Platte.

Schuld daran waren weder Bells elektronische Zaubereien noch der Frontmann, der stimmlich wie neugeboren wirkte. Vielmehr verhärtete sich der Verdacht, Martin Gore habe vergessen, bei seinem Umzug nach Kalifornien Songs einzupacken.

Gareth Grundy traf in *Q* den Kern des Problems: „*Exciter* ist allenfalls oberflächlich reizvoll – eine Übung in gutem Geschmack, bei der sich zeitgenössischer Drone mit schleifenden Schlagzeug- und Gitarrenrhythmen verbindet. Man kann es als relativ gefällige Klangtapete sehen, die sich mit Leichtigkeit um Dave Gahans wiedererstarkte Stimme schmiegt.

Diesmal ist Martin Gore derjenige, dem die Puste ausgeht. Die Dürftigkeit seiner Ideen lässt sich auch nicht mit trendigem Sounddesign kaschieren."

Man durfte kaum erwarten, dass das Album wie *Ultra* auf Platz eins der britischen Charts einschlagen würde. Seine höchste Position war die Neun. Aber auch in den

„Diesmal ist Martin Gore derjenige, dem die Puste ausgeht. Die Dürftigkeit seiner Ideen lässt sich auch nicht mit trendigem Sounddesign kaschieren."

Q

Gahan und Gore in der Wembley Arena.

„Exciter ist allenfalls oberflächlich
reizvoll – eine Übung in gutem
Geschmack, bei der sich zeitgenössischer
Drone mit schleifenden Schlagzeug-
und Gitarrenrhythmen verbindet."

Exciter

TRACK LIST

Dream On

Shine

The Sweetest Condition

When The Body Speaks

The Dead Of Night

Lovetheme

Freelove

Comatose

I Feel Loved

Breathe

Easy Tiger

I Am You

Goodnight Lovers

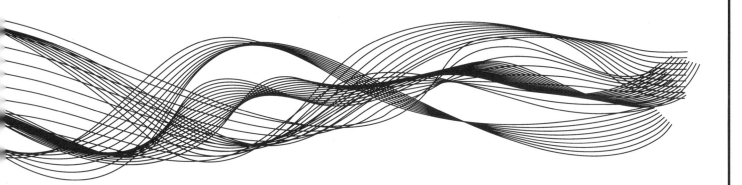

Aufnahmeorte:
RAK Studios, Sarm West Studios, London,
England; Sound Design, Santa Barbara,
Electric Lady Studios und Sony Music Studios,
New York, USA

Produziert von: Mark Bell, Gareth Jones &
Depeche Mode

Besetzung:
Dave Gahan
Martin Gore
Andy Fletcher

Covergestaltung: Form

Veröffentlichung: 14. Mai 2001

Label: Mute CDSTUMM 190

Höchste Chartposition:
UK 9, GER 1, FRA 1, SWE 1, CAN 3, SWI 2,
US 8, ITA 2, AUS 20, SPA 2

Nachdenklich und solo.

USA stand es in den Top 10, und in mehreren europäischen Ländern, darunter Frankreich und Deutschland, war tatsächlich die Spitzenposition drin.

Die sechsmonatige *Exciter*-Tour im Anschluss verlief ebenfalls erfolgreich und erreichte über eineinhalb Millionen Fans in 84 Arenen in 24 Staaten.

2002 ließ die Band dann so gut wie nichts von sich hören, sondern trat erst gegen Ende des Jahres an die Öffentlichkeit, um den Innovation Award von *Q* in Empfang zu nehmen, einem der vielen britischen Musikmagazine, die Depeche Mode zwei Jahrzehnte lang verspottet hatten. Eine höhere Form von Anerkennung wurde ihnen zuteil, als Country-Legende Johnny Cash „Personal Jesus" coverte.

Der relative ruhige Verlauf des Jahres bedeutete wohlgemerkt nicht, dass Depeche Mode untätig waren. Bezeichnenderweise nutzten die beiden Bandköpfe die Zeit, um Soloalben zu planen. Martin Gore stellte seines, das er zu Hause in Santa Barbara in seinem amüsant benannten Electric Ladyboy Studio (hinter der scheuen, stillen Fassade verbarg sich seit je beißender Humor) aufgenommen hatte, zuerst zur Diskussion. *Counterfeit 2* erschien am 29. April 2003 und war der Nachfolger der 14 Jahre zuvor veröffentlichten EP *Counterfeit* mit Coverversionen.

Auf dem Album kompilierte Gore süßliche, unersprießliche Interpretationen buntgemischter Songs, die von Synthesizern dominiert wurden, angefangen bei David Essex' „Stardust" über Brian Enos „By This River" und den Blues-Standard „In My Time Of Dying", den Bob Dylan und Led Zeppelin bekannt gemacht hatten, bis zu „Oh My Love", John Lennons Ode an Yoko Ono.

Counterfeit 2 bot reichlich Schönklang, erschien aber auch reichlich unsinnig, weshalb selbst Andy Fletcher das Projekt nachweislich für „ein bisschen zu viel des Guten" hielt. Die Kritiker blieben unbeeindruckt.

Nur sechs Wochen danach kam Dave Gahans Alleingang heraus, ein völlig anderes Kaliber. Mit dem himmlisch schmuddeligen „Dirty Sticky Floors" als Vorabsingle war *Paper Monsters* ein prahlerisch dekadentes Album, auf dem stampfender Glam Rock kein bisschen weniger zwingend mit elektronischen Elementen verschmolz als bei Depeche Mode. Wer hätte gedacht, dass in Gahan ein derart gewiefter Songwriter steckte?

LINKS Johnny Cash coverte „Personal Jesus".
MITTE Martin Gore 2003 solo in L.A.
RECHTS Dave Gahan, ebenfalls im Alleingang.

Während *Counterfeit 2* kommerziell floppte, sollte *Paper Monsters* in die britischen Top 40 schleichen und gleichsam drei Top 40-Singles abwerfen. Gahan schwang sich außerdem zu einer 70 Termine weltweit umfassenden Solotournee auf, in deren Verlauf sein neues Material von der Kritik gefeiert wurde. Der *Independent* urteilte etwa: „Wenn Depeche Mode wieder zusammenkommen, wird das Kräfteverhältnis nicht mehr dasselbe sein."

Damit lag die Zeitung durchaus nicht falsch. Dave wollte sich insgeheim schon lange als Komponist bei der Band einbringen und wurde nun, da er mit neuem Fokus frisch aus dem Drogenentzug kam, so selbstbewusst, dass er seinem Wunsch entsprechend handelte. Genaugenommen war er während der *Exciter*-Sessions mit Demos einiger seiner Stücke an Martin Gore herangetreten, die aber bloß wie üblich eine schwer deutbare Reaktion hervorgerufen hatten.

„Er nickte vor sich hin und ließ mich wissen, sie seien ziemlich gut", erzählte Gahan. „Allerdings gab er sich nie einen Ruck und sagte: ‚Super, lass uns ein paar davon fürs Album verwenden.'"

Gahans Unmut, weil es sich dabei, seinem Dafürhalten nach, um einen Kontrollzwang seitens Gores im Studio handelte, kam in mehreren Presseinterviews zum Ausdruck, die er für *Paper Monsters* führte.

Darin nannte er *Exciter* „Martins Album, bloß mit meiner Stimme darauf" und kündigte im *Rolling Stone* an, Depeche Mode würden schlichtweg aufhören, Musik zu machen, falls es in Zukunft nicht wesentlich demokratischer zugehe.

„Solange Martin nicht möchte, dass jeder von uns seine Songs im Studio vorstellt und wir zusammen daran arbeiten, sehe ich keinen Sinn darin, weiterzumachen und noch ein Depeche-Mode-Album zu stemmen", schloss er. „Und weißt du was? Mittlerweile fände ich das gar nicht schlimm."

Gahan und Gore hatten sich gegen Ende 2004 zu Gesprächen verabredet, wenn ihre Soloprojekte jeweils abgeschlossen wären, wobei es um die Zukunft der Gruppe gehen sollte. Letzterer sah sich durch die medialen Breitseiten des Ersteren gekränkt, weshalb dann bei ihrem ersten Treffen eine leicht unterkühlte Atmosphäre herrschte. Sie versöhnten sich jedoch bald und fanden eine Lösung.

„Dave schreibt jetzt richtig gute Songs", schwärmte Fletcher in *Q*. „Einige werden einen verdienten Platz

auf dem Album erhalten." Nachdem er bei ihrer ersten Unterhaltung das Recht hatte einfordern wollen, die Hälfte des neuen Materials beizusteuern, begnügte sich Gahan schließlich mit drei Stücken.

Zudem kam ihm sehr gelegen, wieder in Gores neuer Heimatstadt Santa Barbara aufzunehmen. Die Band kehrte im Frühjahr 2005 mit einem anderen Produzenten in die Sound Design Studios zurück: Ben Hillier, der kurz zuvor mit Doves und Blur gearbeitet hatte. Als aufgeweckter Zeitgenosse spürte er, was vonnöten war, um die alte Magie wieder heraufzubeschwören.

„*Exciter* entstand größtenteils auf Laptops; das zieht sich ewig hin und ist sehr langweilig, außer man sitzt selbst vor dem Computer", erläuterte er Steve Malins.

„Ich suchte das Menschliche, ein Live- oder Performance-Element. Man soll Musik anhören, dass jemand aus Fleisch und Blut dahintersteckt. Dadurch fällt den Leuten der Zugang leichter, glaube ich, und genau das hatte ihrem vorherigen Album wohl gefehlt."

Hillier bezeichnete den anfänglichen Umgang zwischen Gahan einer- sowie Gore und Fletcher andererseits als „recht gereizt", erkannte aber bald, dass die kürzlich entbrannte Rivalität der Hauptprotagonisten alle beide und somit auch die Band zu besseren Leistungen anspornen könnte.

„Ich befürchtete, sie würden sich in bestimmten Situationen weigern, an den Stücken des jeweils anderen zu arbeiten", sagte er Malins. „Das wäre katastrophal gewesen, aber sie bekamen es von Anfang an klasse hin. Beide hatten die gleiche Einstellung: Probieren wir's.

Kein Zweifel, sie neigen zum Wetteifern miteinander, doch das zwingt Martin, bessere Songs zu schreiben."

Nachdem sich ein neues Kräftegleichgewicht eingestellt hatte, gelang der Gruppe ein brillantes Album,

LINKS Demokratischere Depeche Mode.
OBEN 2005 in Köln.

das schließlich *Playing The Angel* heißen sollte. Gahan nahm mit Freude zur Kenntnis, dass Gore willens war, seinen schöpferischen Zauber zur Veredelung von Songs einzusetzen, die der Sänger erwartungsvoll einbrachte.

Martin reicherte Daves dämmrig pochendes „I Want It All" mit satten Gitarrenakkorden an. Zudem wertete er das grüblerische „Suffer Well" mit Synthesizer-Spuren an, während der Frontmann seine Mitmusiker im Text dafür zu rügen scheint, dass sie ihm in seiner Drogennot nicht beigestanden hatten: „Allein in meinem Sündentraum/Ein leeres Herz, ein leerer Raum …"

„Das war gewiss ein kleiner Seitenhieb", bestätigte Gahan. „Obwohl ich es nicht in diesem Sinn schrieb, dachte ich an Martin, wenn ich es sang. Ich fragte: ‚Warum hast du nicht begriffen, dass ich dich damals besonders dringend brauchte?' Als ich auf dem Boden des Apartments in Santa Monica herumkroch, schrie ich innerlich: ‚Wo bist du, verdammt noch mal?'"

Gore brachte seinerseits starke Tracks wie „John The Revelator" oder „Lilian" ein, die im krassen Gegensatz zu seinen Kompositionen für *Exciter* standen, weil sie abwechslungsreich und eingängig mit glänzenden

„Kein Zweifel, sie neigen zum Wetteifern miteinander, doch das zwingt Martin, bessere Songs zu schreiben."

HILLIER

Hooks beziehungsweise Melodien aufwarteten. Er schüttete sein Herz und seine Seele für das Album aus – vielleicht, um sich vorübergehend den Turbulenzen zu entziehen, die er privat erlebte.

Nach 16 gemeinsamen Jahren, in denen drei Kinder geboren worden waren, machte Gore eine schmerzhafte Scheidung von seiner Frau Suzanne Boisvert durch. Er ließ ein immenses Schuldbewusstsein gegenüber seinem Nachwuchs, weil er dessen Leben zu zerrütten glaubte, in das äußert bewegende „Precious" einfließen, dem Glanzstück auf *Playing The Angel*: „Mit kostbaren, zerbrechlichen Dingen/Muss man behutsam umgehen/Mein Gott, was haben wir euch angetan?"

„Ich hatte das Gefühl, in meiner Ehe gescheitert zu sein", bekannte Gore in *Mojo*. „Was das angeht, habe ich der Kinder wegen ein schlechtes Gewissen. Gut möglich, dass die Beziehung sowieso schon seit einer Weile nur noch Heuchelei war. Das bedrückte mich … ich weiß nicht, wie viele Jahre lang."

Als flammender emotionaler Aufschrei eignete sich „Precious" vortrefflich als erste Auskopplung des Albums. Die Single erschien im Oktober 2006 und chartete im Vereinigten Königreich auf Platz vier, was die Band bis dato nur 1984 mit „People Are People" und 1997 mit „Barrel Of A Gun" geschafft hatte. In Italien und Spanien, wo man stets für Romantik zu haben war, führte die Nummer die Hitlisten an.

Drei Wochen später wurde der schillernde Langspieler nachgereicht und von den meisten Rezensenten mit Lob überhäuft, weil es für Depeche Mode eine unverhoffte, aber sehr begrüßenswerte Rückkehr zu alter Form markierte. Das Magazin *Q* klatschte am lautesten Beifall, indem es *Playing The Angel* zum „tollsten und überraschendsten Comeback des Jahres" kürte.

Positives Feedback wie auf nationaler Ebene hallte der Gruppe auch aus anderen Ländern entgegen. Davon abgesehen, dass das Album sowohl zu Hause als auch in den USA auf Rang sechs bzw. sieben der

Charts landete, also den Erfolg von *Exciter* übertraf, stand es in 16 Ländern an der Spitze, nicht zuletzt in Frankreich, Deutschland, Italien und Portugal.

Des Weiteren war Depeche Modes Furcht vor Tourneen verflogen. Nun, da sie ihre Dämonen dauerhaft gebändigt hatten, wurden die Konzerte zu *Playing The Angel* ein Vergnügen. Nach einer Premiere unter dem Motto „Starting The Angel" im intimen Ambiente des Bowery Ballroom in New York für Gewinner eines Preisausschreibens am 25. Oktober 2005 führte die Reise je zweimal durch die Vereinigten Staaten und Europa, wobei Stadien, Arenen und Festivals besucht wurden, ehe sie im August des Folgejahres in Athen endete.

Dass sich nur ein Song von *Exciter* im Programm befand, ließ tief blicken.

„Wir haben Liveshows wahrscheinlich noch nie so genossen und als lohnenswert empfunden wie auf dieser Tour", posaunte Dave Gahan heraus. „Das neue Material schrie geradezu nach der Bühne. Dort entwickelte es mithilfe des Publikums eine eigene Dynamik und erwachte zum Leben."

Folglich hatten Depeche Mode die Welt wieder einmal im Sturm genommen. Nun war es an der Zeit, das Universum anzuvisieren.

> **„Diese Tour war wahrscheinlich die angenehmste und einträglichste von allen. Die neuen Songs warteten darauf, live gespielt zu werden. Ein Selbstläufer."**
> **GAHAN**

LINKS Keine Angst mehr vorm Touren: Dave Gahan.
UNTEN Live in L.A., Dezember 2005, mit Schlagzeuger Christian Eigner.

DEPECHE MODE

playing the ANGEL

„Die Band klang lange nicht mehr so selbstsicher."

INDEPENDENT

Playing the Angel

TRACK LIST

A Pain That I'm Used To
John The Revelator
Suffer Well
The Sinner In Me
Precious
Macro
I Want It All

Nothing's Impossible
Introspectre
Damaged People
Lilian
The Darkest Star

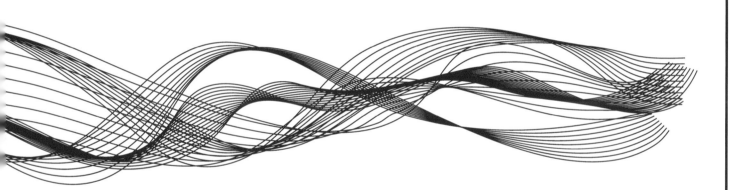

Aufnahmeorte:
Sound Design, Santa Barbara, und
Stratosphere Sound, New York, USA;
Whitfeld Street, London, England

Produziert von: Ben Hillier & Depeche Mode

Besetzung:
Dave Gahan
Martin Gore
Andy Fletcher

Covergestaltung: Anton Corbijn

Veröffentlichung: 17. Oktober 2005

Label: Mute CDSTUMM260

Höchste Chartposition:
UK 6, GER 1, FRA 1, SWE 1, CAN 3, SWI 1,
US 7, ITA 1, AUS 45, SPA 2

11

SCHWINDENDE
ERTRÄGE

Mute Records war nicht mehr dasselbe Label wie früher. Das punkige Heimgewerbe, das Daniel Miller fast 40 Jahre zuvor gegründet hatte, war nach und nach zu einem Schwergewicht für Independent-Musik geworden – aber nicht davon ausgenommen, sein Geschäftsmodell dem Wandel der Zeit anzupassen.

Angesichts digitaler Piraterie und sinkender CD-Absatzzahlen, deretwegen Plattenfirmen unterm Strich weniger verdienten, hatte Miller bereits finanzielle Probleme gegen Ende der 1990er eingeräumt. Zum Glück gelang ihm dank Mobys Verkaufsschlager *Play* und durch den anhaltenden Erfolg von Depeche Mode, Erasure sowie Nick Cave, sein Schiff wieder auf Kurs zu bringen.

Allerdings war Mute wie viele andere britische Indies, etwa Rough Trade und Creation, eine Verbindung mit einem Major eingegangen. 2002 hatte die EMI das Label für 23 Millionen Britische Pfund gekauft, obwohl Miller Geschäftsführer blieb und behauptete, „verblüffend viel" selbst entscheiden zu dürfen.

Ob der Anreiz von ihm oder seinen neuen, gewinnorientierten Financiers ausging, ist schwer zu sagen: Mute schien jedenfalls nun erpicht darauf zu sein, Depeche Modes Backkatalog auszuschlachten und zu Geld zu machen. Zwei Jahre nach der Compilation *Remixes 81–04*, die 2004 erschienen war, kamen sowohl die nur als Download verfügbare, 644 Tracks starke Werkschau *The Complete Depeche Mode* als auch die eher herkömmliche Hit-Zusammenstellung *The Best Of Depeche Mode Volume 1* heraus.

Um Letztere promoten zu können, musste eine neue Single her, also griff die Band einen Song auf, der in Santa Barbara erarbeitet, aber nicht für *Playing The Angel* berücksichtigt worden war. „Martyr" hieß ursprünglich „Martyr For Love" und packte für Gore bezeichnende leidvolle Betrachtungen über die Wehen der Liebe in einen beschwingten, radiotauglichen Elektro-Song.

Die Formel ging auf. Das Stück erreichte einen achtbaren 13. Platz in den britischen Charts – in Italien und Spanien abermals den ersten –, wohingegen von *The Best Of* insgesamt eine Million Exemplare in Europa

abgesetzt werden sollten, wozu insbesondere das äußerst treue Deutschland beitrug, wo das Album bis auf Platz zwei stieg.

Nach dem Erfolg von *Paper Monsters* legten EMI auch Wert darauf, Dave Gahan als Solokünstler zu fördern, was 2007 mit seiner zweiten Scheibe *Hourglass* geschah. Sie fiel weniger rockig als elektronisch aus, aber der Sänger schlug sich damit mit Blick auf die Kritiker wie unter kommerziellen Gesichtspunkten erneut relativ gut. Dennoch entschied er sich gegen eine begleitende Tournee.

Dies lag größtenteils daran, dass Depeche Mode wieder neues Material in Angriff nahmen.

Sie fanden sich im Mai 2008 abermals mit Produzent Ben Hillier in Santa Barbara ein, um an einem Album

VORHERIGE SEITE KROQ präsentiert Depeche Mode im Troubadour, West Hollywood.

LINKS Dave Gahan abseits der Bühne.

RECHTS Daniel Miller verkaufte Mute Records für 23 Mio. Pfund an EMI.

„Es ist schwer, nicht enttäuscht zu sein, weil der Eindruck entsteht, einer Band, die sich von Mal zu Mal gesteigert hat, falle nichts Neues mehr ein."

Q

UNTEN Drei verschiedene Images in einer Band, 2009.
RECHTS Ein Riesenspaß: Die *Tour Of The Universe* erreicht die Londoner O2 Arena.

zu arbeiten, das den Titel *Sounds Of The Universe* erhalten sollte.

So nüchtern wie zu diesem Anlass hatte die Band bestimmt noch nie ein Studio in Beschlag genommen: In der Annahme, sein Alkoholkonsum sei problematisch, war Martin Gore wie Gahan völlig abstinent geworden.

Passend dazu berichtete der Frontmann, der Aufnahmeprozess habe sich als ungewohnt geschäftsmäßig herausgestellt.

„Stellt man diese Produktion in den Kontext unseres bisherigen Outputs, dürfte sie eine unserer diszipliniertesten sein", zitierte ihn die Webseite *The Quietus*. „Martin und ich traten jeden Tag zur Schicht an, beide sehr konzentriert. Er hat einige fantastische Songs geschrieben, und von mir sind auch ein paar drauf."

Gahan stellte den Ablauf als leichtes Unterfangen ohne Herausforderungen dar – und als *Sounds Of The Universe* am 17. April 2009 erschien, klang es genau so. Derart glatt wummernden Elektro-Gothic hätten Depeche Mode nunmehr im Schlaf absondern können. Und so wie es aussah, taten sie dies auch.

Das Album besaß ein unanfechtbares, bezauberndes Highlight: das aufreibende „Wrong", ein beharrlicher Klopfer wie „Personal Jesus". Im Text, den

Gore geschrieben hatte, argwöhnt Gahan, er sei dazu bestimmt, ein wildes, nicht sonderlich gut geplantes Leben zu führen: „Ich bin im falschen Sternzeichen geboren/Im falschen Haus/Mit dem falschen Aszendenten/Und falsch abgebogen …" Obgleich ein sicherer Kandidat für die Vorabsingle, floppte der Song in Großbritannien, weil er zu selten im Radio gespielt wurde, belegte aber den ersten Platz der italienischen Charts.

An anderen Stellen klang *Sounds Of The Universe* hingegen zu deutlich nach einer Band, die bloß ihr Programm herunterspielte. „In Chains" oder Gahans Komposition „Hole To Feed" war ein gewisser Schwung nicht abzusprechen, doch die Qualität nahm in der zweiten Hälfte der Platte rapide ab und erreichte mit dem gesichtslosen Instrumental „Spacewalker" ihren Tiefpunkt.

Ein paar Schreiber wollten eine lobenswerte neue „Reife" (im Zusammenhang mit Popmusik oft ein gefürchtetes Wort) herausgehört haben, während andere über Vorhersehbarkeit wetterten. Der *Rolling Stone* verglich die Platte mit einer „Zeitreise in die 1980er", und Jon Pareles von der *New York Times* sprach von „Ausschussware ohne Ecken und Kanten".

Nichtsdestoweniger war es Dorian Lynskey, ein Unterstützer der Band seit vielen Jahren, der in *Q* mit seinem gewohnten Durchblick am prägnantesten auf den Punkt brachte, woran *Sounds Of The Universe* krankte:

> Zum zwölften Mal stellte sich die Frage: Die Gothic-Pop-Karte ausspielen, um die Fans bei der Stange zu halten, oder etwas Gewagteres auf die Beine stellen? Tja, sie haben Ersteres getan …
>
> Ihr zwölftes Album wirkt wie das Herz einer ansehnlichen, aber trägen Maschine, dunkelblau und stahlgrau. Die Synthesizer tönen breit und allgegenwärtig, Gahans Stimme gewinnt mit dem Alter an Glanz – alles klingt einwandfrei, doch zu wenige Songs bleiben hängen …
>
> Es ist schwer, nicht enttäuscht zu sein, weil der Eindruck entsteht, einer Band, die sich von Mal zu Mal gesteigert hat, falle nichts Neues mehr ein.

Diese Schwächen verhinderten nicht, dass *Sounds Of The Universe* hoch chartete. Von Mexiko bis Russland erklomm das Album die Spitze, während sich die Band

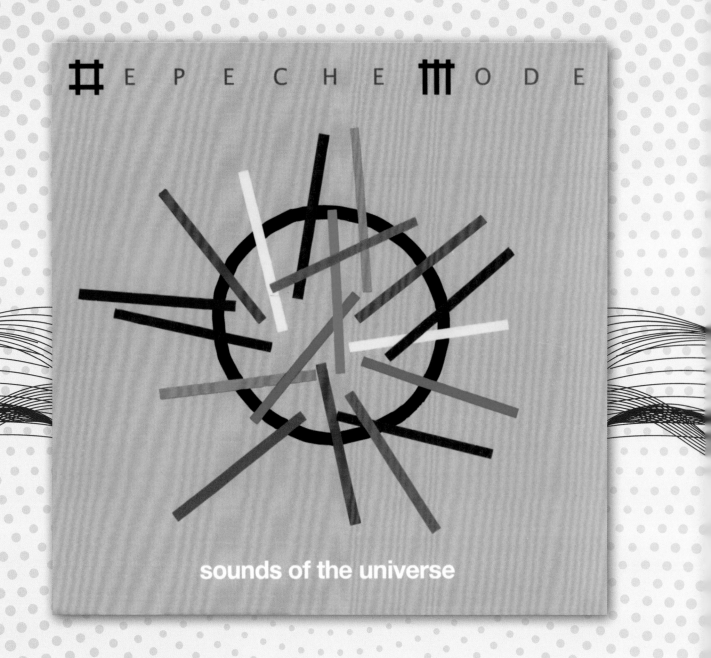

„Die Synthesizer tönen breit und allgegenwärtig, Gahans Stimme gewinnt mit dem Alter an Glanz – alles klingt einwandfrei, doch zu wenige Songs bleiben hängen."

Q

Sounds of the Universe

TRACK LIST

In Chains
Hole To Feed
Wrong
Fragile Tension
Little Soul
In Sympathy
Peace

Come Back
Spacewalker
Perfect
Miles Away / The Truth Is
Jezebel
Corrupt
Wrong [Reprise] (Hidden Track)

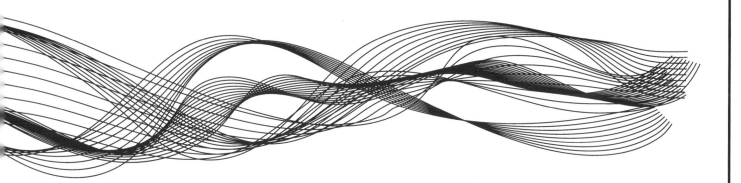

Aufnahmeorte:
Chung King Studios, New York, und Sound Design, Santa Barbara, USA

Produziert von: Ben Hillier & Depeche Mode

Besetzung:
Dave Gahan
Martin Gore
Andy Fletcher

Covergestaltung: Anton Corbijn

Veröffentlichung: 17. April 2009

Label: Mute CDSTUMM300

Höchste Chartposition:
UK 2, GER 1, FRA 2, SWE 1, CAN 3, SWI 1, US 3, ITA 1, AUS 32, SPA 1

in Großbritannien mit dem zweiten Platz nach Lady Gagas *The Fame* abfinden musste und Rang drei in den Vereinigten Staaten erreichte, für sie die höchste Position dort seit *Songs Of Faith And Devotion*.

In den meisten Schlüsselregionen war allerdings deutlich bemerkbar, dass die Absatzzahlen nach der ersten Verkaufswoche sehr schnell sanken. Treue Fans legten sich die Platte bei Erscheinen zu, doch immer weniger Gelegenheitskäufer ließen sich dazu verleiten.

Die Gruppe begann umgehend mit der Promotion, indem sie die großangelegte *Tour Of The Universe* plante. Auf selbiger ließ der Mann, den man eine Zeit lang „die Katze" genannt hatte, noch ein paar seiner Leben.

Nach einer Aufwärmshow in einer vergleichsweise kleinen Location in Luxemburg am 6. Mai ließen sich Depeche Mode zum allerersten Mal in Israel blicken. Danach sollten mehrere Europa-Gigs folgen – und in dem Moment schlug das Schicksal zu.

Beim Warten auf den Beginn des Konzerts am 12. Mai in Athen wurde Dave Gahan schlecht, weshalb man ihn rasch in ein Krankenhaus brachte. Die Diagnose lautete zunächst Magen-Darm-Grippe, doch weitere Untersuchungen belegten, dass er einen bösartigen Blasentumor hatte.

Die Termine wurden für einen Monat verschoben oder abgesagt, während sich der Sänger einer erfolgreichen Operation unterzog und sich dann auskurierte. Die Tour ging Anfang Juni in Deutschland weiter, doch vier Wochen später zerrte er sich auf der Bühne des BBK Live Festivals im spanischen Bilbao einen Muskel in der Wade, was zu zwei weiteren Konzertabsagen führte.

Gahan war wieder fit, als die Auftritte in Nordamerika anstanden. Zwei Wochen nach der Premiere, die am 24. Juli in Toronto stattfand, überanstrengte er jedoch seine Stimmbänder in der Key Arena von Seattle. Fans in zwei weiteren Städten schauten in die Röhre, während sich der Pechvogel auskurierte.

Die *Tour Of The Universe* war aber ungeachtet solcher Missgeschicke ein Knüller vor über mehrere Abende hinweg ausverkauften Häusern wie dem New Yorker Madison Square Garden und der Hollywood Bowl in L.A. oder der Londoner O2 Arena. Als Depeche Mode am 10. Februar vor Ort für die Jugendkrebsstiftung in der Royal Albert Hall auftraten, kam Alan Wilder zu einem nostalgischen Gastauftritt auf die Bühne und übernahm den Klavierpart in „Somebody" von *Some Great Reward*. Zum Finale der Tour in Düsseldorf 14 Tage später hatte das Programm knapp 170 Millionen Britische Pfund eingespielt.

Im Anschluss stand eine weitere Phase an, in der sich die Mitglieder anderen Projekten widmeten; vielleicht schafften sie es auf diese Weise, zielgerichtet und mental gesund zu bleiben. Dave Gahan waren Soulsavers ans Herz gewachsen, zwei Landsleute und Produzenten aus dem Dance-Bereich, die auf der jüngsten Tour in einigen europäischen Städten für Depeche Mode eingeheizt hatten. Mit ihnen nahm er das ausgezeichnete Album *The Light The Dead See* auf.

In Martin Gores Privatleben wehte fünf Jahre nach seiner Scheidung von Suzanne wieder frischer Wind, nachdem er eine englische Schauspielerin kennengelernt hatte, die nun in den USA lebte und mit ihm zusammen war: die 30-jährige Kerrilee Kaski. Mit seiner nächsten musikalischen Unternehmung rechnete indes niemand: Er schloss sich wieder mit Vince Clarke kurz.

Dass dieser Depeche Mode 30 Jahre zuvor Knall auf Fall verlassen hatte, nahm Gore ihm längst nicht mehr übel. Vielmehr freute er sich, dass der ehemalige Weggefährte ihn um seine Kollaboration für ein einmaliges Album bat, das nur Instrumentalstücke enthalten sollte. Die Einladung kam wie aus heiterem Himmel, aber sehr gelegen – und schloss womöglich etwas ab, das lange Zeit unerledigt geblieben war.

> „Sänger David Gahan und Songwriter Martin Gore können weder der Fließbandarbeit noch dem Hamsterrad entfliehen, in dem sie gefangen sind."
>
> *PITCHFORK*

Auf der *Tour Of The Universe* in Berlin (links) und Miami (rechts).

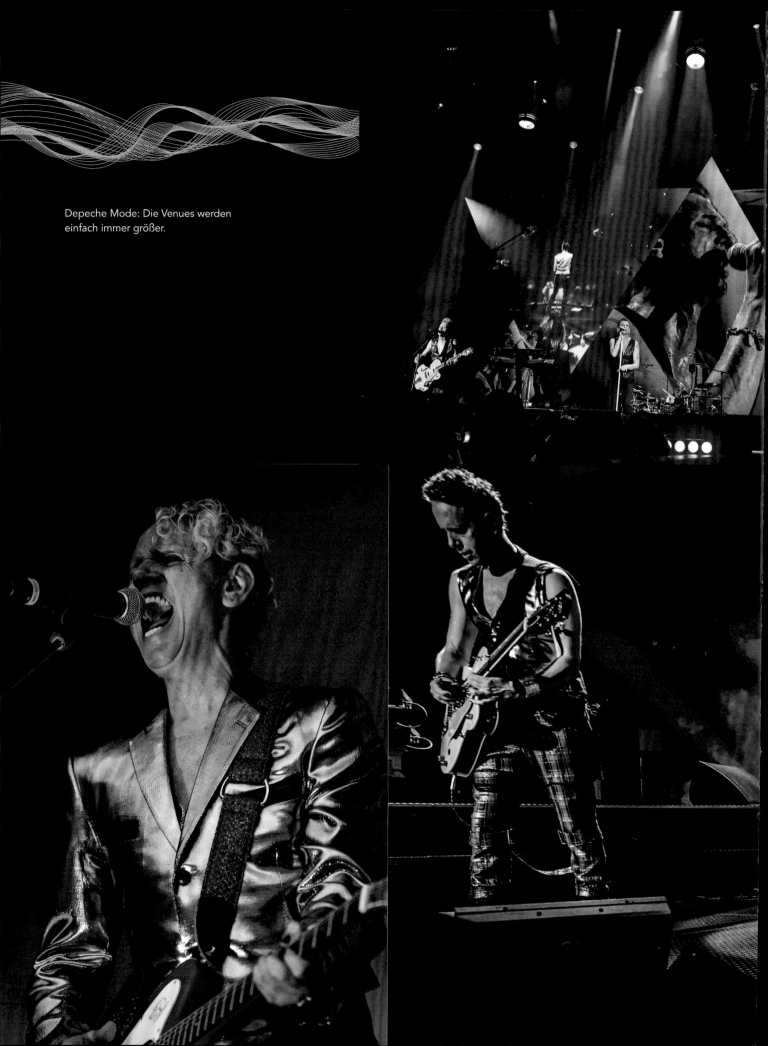

Depeche Mode: Die Venues werden einfach immer größer.

Das Duo wählte den haarsträubend einfallslosen Namen VCMG und fand sich für eine Platte voll mit erlesenem Techno-Gedudel zusammen … oder genauer gesagt: Sie tauschten sich interkontinental mittels Filesharing aus. Das Ergebnis erhielt den Titel *Ssss* und klang nett, wenn auch leicht altmodisch. Ihm wurde wenig Aufmerksamkeit zuteil, außer in – wo sonst? – Deutschland.

Depeche Mode schienen jetzt in einen relativ bequemen Arbeitstrott geraten zu sein. Sie veröffentlichten alle vier Jahre ein Album, mit dem sie eingefleischte, aber nur wenige neue Fans erreichten, und bewarben es ein Jahr oder länger in den größten Konzertsälen der Welt. Es war eine zweckdienliche Routine – und höchst lukrativ.

Ergo steckten die Musiker zum Frühlingsbeginn 2012 erneut in Santa Barbara die Köpfe zusammen, und zwar wieder mit Produzent Ben Hillier. Sie schienen nach dem Motto zu verfahren, man brauche nichts an einem Rezept zu ändern, solange das Essen schmeckt – doch als *Delta Machine* im März 2013 erschien, war klar, dass Routine eben zu verlässlich routinierter Musik führte.

Es war ebenso wenig ein Rohrkrepierer wie *Sounds Of The Universe*, sondern nur … ein weiteres Depeche-Mode-Album. Die Band hakte brav all ihre Ticks, Erkennungsmerkmale und bestimmenden Ideen ab, doch man wurde das Gefühl nicht los, das Ganze schon einmal gehört zu haben.

Die erste Single „Heaven", eine kontemplative Elektroballade, war gut gemacht, hätte aber auch auf jedem anderen Album ab *Violator* stehen können. Gahan zeigte sich in „Secret To The End" und seiner Komposition „Should Be Higher" gesanglich von seiner besten, samtigen Seite, aber auch hier ließ sich der Déjà-vu-Eindruck nicht verleugnen.

Die Hipster-Musikseite *Pitchfork* erhob am klarsten Einspruch, indem sie die Platte mit einer Sammlung verworfener Ideen für *Songs Of Faith And Devotion* verglich, einem damals bereits 20 Jahre alten Album. Der verantwortliche Schreiber, Douglas Wolk, beschuldigte die ehemaligen Pioniere, lediglich dreist von früheren Meriten zu zehren:

> In der Fertigungsindustrie steht der Begriff „Delta" für Veränderung. Darum geht es Depeche Mode nicht mehr unbedingt …
> Sänger David Gahan und Songwriter Martin Gore können als Partner weder der Fließbandarbeit noch dem Hamsterrad entfliehen, in dem sie gefangen sind (ganz zu schweigen von Andy Fletcher, dem Dritten im Bunde, der … egal!).

Was die Band zuvor hörenswert machte, wenn sie denn mal von sich hören ließ, war nicht nur der Kontrast zwischen Gores spröder Reserviertheit und Gahans unbeholfener Naivität … Es war ihr stets weiterentwickelter Sound – das Ausloten der Grenzen dessen, was Elektronik aus Popsongs machen kann … Leider ist es damit schon lange vorbei.

Delta Machine tönt zu keiner Sekunde überraschend oder frisch, und zu erleben, wie stur sich eine einst zukunftsweisende Gruppe dem Wandel widersetzt, ist frustrierend.

An dieser Kritik ließ sich kaum etwas beanstanden. Dies galt auch für das Album, wenn man es als Erzeugnis zeit-

genössischer „Fertigungsindustrie" verstand: als Fallbeispiel dafür, wie man zu den Bekehrten predigte, ohne zu verschlimmbessern, was bereits funktionierte. Depeche Modes Feuer schien erloschen zu sein und ließ sich nicht wieder entfachen, so wie es aussah.

Deshalb war das, was als Nächstes geschah, umso bemerkenswerter.

Gore mit Fletcher (links) und Gahan (rechts): „Eine gut geölte, präzise Musikmaschine mit Anspruch auf die Weltherrschaft."

„Mittlerweile tun sie nicht einmal mehr so, als ob ihnen bewusst wäre, dass sich im Zuge des technischen Fortschritts neue Möglichkeiten ergeben haben."

PITCHFORK

„*Delta Machine* tönt zu keiner Sekunde überraschend oder frisch, und zu erleben, wie stur sich eine einst zukunftsweisende Gruppe dem Wandel widersetzt, ist frustrierend."

PITCHFORK

Delta Machine

TRACK LIST

Welcome To My World
Angel
Heaven
Secret To The End
My Little Universe
Slow
Broken

The Child Inside
Soft Touch / Raw Nerve
Should Be Higher
Alone
Soothe My Soul
Goodbye

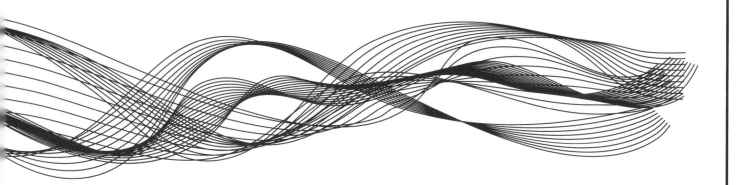

Aufnahmeorte:
Jungle City Studios, New York, und Sound
Design, Santa Barbara, USA

Produziert von: Ben Hillier & Depeche Mode

Besetzung:
Dave Gahan
Martin Gore
Andy Fletcher

Covergestaltung: Anton Corbijn

Veröffentlichung: 22. März 2013

Label: Mute 88765460622

Höchste Chartposition:
UK 2, GER 1, FRA 2, SWE 1, CAN 2, SWI 1,
US 6, ITA 1, AUS 16, SPA 2

12

BESEELTE NEU-ERFINDUNG

Depeche Mode waren zu keiner Zeit politisch. Vermutlich machten sie aufgrund des gutgemeinten Spotts, den sie wegen flapsiger früher Kritik am Zeitgeschehen wie „Everything Counts" oder „People Are People" über sich hatten ergehen lassen müssen, schon lange einen weiten Bogen um derartige Betrachtungen. Wie David Gahan bereits im Zuge von *Construction Time Again* sagte: „Ich glaube nicht, dass wir eine politische Meinung haben."

Weiterhin gab es keinen Grund für sie, Anstoß am Zustand der Welt zu nehmen, während sich das zweite Jahrzehnt des 21. Jahrhunderts seiner Mitte zuneigte. Die Mitglieder führten ein ungewöhnlich geregeltes Privatleben. Der nunmehrige Abstinenzler Gahan hatte sein Glück mit Ehefrau Jennifer in New York gefunden; Andy Fletcher, der seit über 20 Jahren verheiratet war, blieb ein zufriedener Familienmensch.

Drei Monate nach Ende der *Delta Machine Tour* machte Martin Gore den Hattrick in Sachen häuslicher Idylle komplett, als er am 12. Juni auf den Turks- und Caicosinseln Kerrilee Kaski heiratete, mit der er drei Jahre zuvor angebandelt hatte. Das folgende Jahr verbrachte er mit Töpfern und der Aufnahme des 16 elektronische Instrumentalsongs umfassenden Albums *MG* in seinem Heimstudio. Am 19. Februar 2016 brachte Kaski Töchterchen Johnnie Lee zur Welt.

Es waren rosige Zeiten für Depeche Mode ... doch während sich die Band Gedanken über ein neues Album machte, wurde ersichtlich, dass sich auf internationaler Ebene etwas zutiefst Unheilvolles anbahnte.

In weiten Teilen der USA und Westeuropas waren Liberalismus und Sozialdemokratie, die jahrzehntelang progressive staatliche Politik garantiert hatten, kein Konsens mehr. Die Stimmung änderte sich, und ein hässlicher Populismus kam auf, womit Rassismus, Intoleranz und Angst vor Einwanderern zunahmen.

In Großbritannien versuchte der damalige Premier David Cameron, den rechten Flügel seiner konser-

VORHERIGE SEITE Olympiastadion in Rom, 2017.

LINKS Posen in der Arena von Birmingham, Großbritannien.

UNTEN Martin Gore mit Sterngitarre, Oracle Arena in Oakland, Kalifornien.

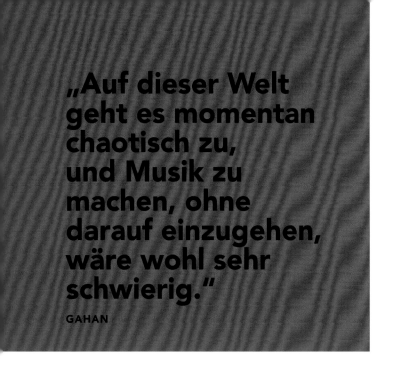

vativen Regierungspartei zu besänftigen, indem er ein Referendum über den Verbleib des Landes in der Europäischen Union anregte. Er wähnte sich siegessicher. Doch Cameron täuschte sich gewaltig. Verleitet von charismatischen, aber augenscheinlich doppelzüngigen Gestalten wie Nigel Farage, der die Partei für die Unabhängigkeit des Vereinigten Königreichs (UKIP) anführte, oder dem abtrünnigen Tory-Minister Boris Johnson entschied das Volk am 23. Juni 2016, die EU zu verlassen, der es über 40 Jahre lang angehört hatte. Die Weichen für den Brexit wurden gestellt.

Depeche Mode reagierten wie Millionen andere fassungslos auf diese Entwicklung.

„Ich war entsetzt", kommentierte Dave Gahan. „Obwohl ich seit 25 Jahren in Amerika lebte, glaubte ich nicht ernsthaft, dass viele für den Austritt aus der EU stimmen würden. Ich schätze, die meisten haben nicht richtig begriffen, was das bedeutet. Sie waren schlecht informiert."

Zwischenzeitlich braute sich etwas in den USA zusammen, das allerdings noch gefährlicher für Frieden und Wohlstand weltweit war. Wahrscheinlich motiviert von wenig mehr als tiefsitzendem Hass auf den amtierenden Präsidenten Barack Obama hatten die Republikaner den New Yorker Immobilienmogul und ehemaligen Reality-TV-Star Donald Trump als Präsidentschaftskandidaten aufgestellt.

Seine Kampagne unter dem Leitspruch, Amerika müsse wieder zu alter Größe finden, beruhte überwiegend auf Massenveranstaltungen, auf denen er mit leicht durchschaubaren Reden an die niedersten Instinkte der gereizten Mittelschicht des Landes appel-

lierte. Er drohte damit, alle bestehenden Wirtschaftsabkommen der Vereinigten Staaten neu auszuhandeln, die Einwanderungsgesetze zu verschärfen, insbesondere für muslimische Möchtegern-Immigranten, und eine hohe Mauer entlang der US-Südgrenze zu bauen, um mexikanische „Drogenhändler, Gauner und Vergewaltiger" fernzuhalten.

Eine dementsprechende Stimmung herrschte vor, als Depeche Mode im April 2016 in Santa Barbara zusammenkamen, um ihr 14. Studioalbum einzuspielen. Dem voraus ging die Erkenntnis, dass es ihnen nach drei gemeinsamen Produktionen mit Ben Hillier etwas zu gemütlich an dessen Seite geworden war, also hatten sie sich für einen neuen Kollaborateur entschieden: James Ford, der auch mit den Arctic Monkeys aufnahm und Simian Mobile Disco angehörte.

Bis zur Fertigstellung der neuen Platte *Spirit*, wie zuvor teils in Santa Barbara, teils in den New Yorker Jungle Studios, vergingen vier Monate, wobei Depeche Mode zwangsläufig gebannt mitverfolgten, wie die liberalen Werte um sie herum den Bach hinuntergingen. Kein fühlendes Lebewesen hätte sich dem entziehen können.

Martin Gore erläuterte nach Abschluss der Arbeiten bei einer Pressekonferenz in Mailand am 11. Oktober 2016 die thematische Ausrichtung des Albums:

„Auf dieser Welt geht es momentan chaotisch zu", sagte er, „und Musik zu machen, ohne darauf einzugehen – alles zu verdrängen, als würde es nicht passieren –, wäre wohl sehr schwierig."

Dave Gahan, der seinerseits ansonsten politisch neutral blieb, machte seiner Bestürzung über Trumps zunehmende Beliebtheit und ätzende Ausdrucksweise in Wahlkampfreden Luft.

„Seine Worte erinnern sehr stark an das, was jemand anderes in den Dreißigerjahren von sich gab", bemerkte er, auf Hitlers Aufstieg in der Weimarer Republik anspielend. „Das ging nicht gut aus. Was er [Trump] sagt, ist gemein, herzlos und dazu gedacht, Ängste zu schüren."

Am 8. November des Jahres, also keinen Monat später, wurde Donald J. Trump zum 45. Präsidenten der Vereinigten Staaten gewählt.

Ein für seinen Sieg wichtiger Faktor war eine Gruppierung, die sich in seinem Umfeld angesiedelt und ihn unterstützt hatte, die sogenannte Alternative Rechte oder kurz „Alt-Right" – rechtsextreme Brandstifter, an deren Rändern Verfechter der Ideologie vom weißen Übermenschen und Neofaschisten standen. Depeche Mode sollten wider Willen auf befremdliche Weise in den vergifteten Dunstkreis dieser Vereinigung gezogen werden.

Der weiße Nationalist Richard B. Spencer, der den extremistischen Think Tank „National Policy Institute" leitete und für sich beanspruchte, den Begriff „Alt-Right" erfunden zu haben, wohnte am 20. Januar 2017 Trumps Vereidigung in Washington D.C. bei. Während eines Interviews mit einem Fernsehteam auf der Straße schlug ihm ein vermummter Demonstrant gegen den Kopf.

Im Monat darauf fragte das Magazin *New York* Spencer, ob er Rockmusik möge. Seine Antwort lautete: „Depeche Mode sind die offizielle Band von Alt-Right."

Später versicherte er auf Twitter, dies sei ein Scherz gewesen, betonte aber, „schon mein ganzes Leben lang Depeche-Mode-Fan" gewesen zu sein. Im *Rolling Stone* beschrieb er den seltsamen Zauber, den die Gruppe wie auch immer auf ihn ausgeübt habe: „Sie sind keine typische Rockband, weder in Hinblick auf ihre Texte noch unter den meisten anderen Gesichtspunkten. Bei ihnen geht es um Existenzangst, Schmerzen, Sadismus, Grauen, Dunkelheit und vieles mehr …

Frühe Sachen von ihnen, etwa *A Broken Frame* oder Titel wie *Music For The Masses*, hatten eine leicht kommunistische Ästhetik, aber auch etwas Faschistisches an sich. Das ist zweifellos ambigue und wie in allen Kunstformen vielschichtig, widersprüchlich, zwiespältig."

Keine vernünftige Band wäre mit solchen Referenzen hausieren gegangen, also gaben die empörten Musiker flugs eine Presseerklärung ab, in der sie Spencers Versuch, sie für sich zu vereinnahmen, als „lächerlich" abkanzelten. „Depeche Mode pflegen keinerlei Verbindungen zu Richard Spencer oder der Alternativen Rechten und unterstützen diese Bewegung nicht", bekräftigten sie.

In Gesprächen mit den Medien anlässlich der Veröffentlichung von *Spirit* am 17. März 2017 erhielt die Gruppe die Gelegenheit, die Angelegenheit einge-

Richard B. Spencer (Mitte): „Depeche Mode sind die offizielle Band von Alt-Right."

„Depeche Mode werden mit Wut im Bauch alt, und das steht ihnen gut."

CLASSIC ROCK

Auf ewig unzertrennlich: Gore und Gahan in Prag.

hender zu erörtern, wobei sich Dave Gahan am wenigs-ten zurückhielt. Von der *New York Post* auf Spencer angesprochen, erwiderte er: „Ich habe die Aufzeich-nung davon gesehen, wie er geschlagen wurde. Er verdiente es!"

Im Interview mit *Billboard*, der amerikanischen Bibel der Unterhaltungsindustrie, wurde der Frontmann mit Formulierungen, die an jeden Kneipenstammtisch sei-ner alten englischen Heimat Basildon gepasst hätten, sogar noch drastischer: „Einer wie Richard Spencer stellt deshalb eine Gefahr dar, weil er zunächst ein-mal ein Wichser ist", schimpfte er. „Obendrein ist er ein sehr gebildeter Wichser, und das macht ihn umso bedrohlicher.

Ich denke, im Lauf der Zeit wurde manches von der Band fehlinterpretiert – entweder unsere Bilderspra-che oder Texte, weil jemand nicht richtig zwischen den Zeilen gelesen hat."

Gahan hatte auch vor der Veröffentlichung des Albums etwas sehr Treffendes bezüglich des inhaltlichen Tenors und der Richtung gesagt, die Depeche Mode darauf einschlugen:

„Es geht vor allem um die gegenwärtige Situation [auf dieser Welt]. Ich finde, das Album eckt an und fordert den Hörer, auf dass er seine eigene Denkweise hinterfragt und überlegt: Wohin wird das führen, was haben wir hier erreicht?"

Dave machte es sich zur Aufgabe, das neue Werk der Band als kritische, provokante Reaktion auf den seit Kurzem rauen Ton in der Weltpolitik darzustellen. Als *Spirit* herauskam, erkannte man auch sofort, dass seine Beschreibungen uneingeschränkt zutreffend waren.

Zu Beginn gab das hibbeliges Lamento „Going Backwards" die Grundstimmung vor. Darin beklagt der Sänger zu einem zuckenden Glitch-Rhythmus eine Umkehrung der menschlichen Evolution: „Im Rückwärtsgang/Kehren wir die Geschichte um … häufen noch mehr Elend an …"

Das zuvor ausgekoppelte „Where's The Revolution" forciert das Drama daraufhin zusätzlich. Hier grollt sich Gahan zu flatterhaften Elektrosounds – Ford und sein Gehilfe Matrixxman fanden definitiv Klangfacetten und -abstufungen, die man auf den letzten Depeche-Mode-Alben schmerzlich vermisst hatte – durch eine lange Liste von Strategien, mit denen die Massen in der unheilvollen Ära Trump/Brexit belogen und hintergangen wurden.

„Ihr wurdet zu lange unterdrückt … herumgeschubst … wie Dreck behandelt", entrüstet er sich, bevor der aufwieglerische, wirklich erhebende Refrain einsetzt: „Wo ist die Revolution?/Kommt schon, Leute/Ihr lasst mich hängen!" Allein die Vorstellung von 20.000 Fans, die dies allerorts in Arenen mitsingen würden, erzeugte Gänsehaut.

Und so ging es weiter. „The Worst Crime" begann mit der Schilderung einer öffentlichen Hinrichtung und kritisierte den niederkauernden Pöbel dafür, das Böse durch „apathisches Zögern" politische Macht gewinnen zu lassen. Der finster dreinblickende, jähzornige „Abschaum" packte Trump und seine Handlanger am Kragen, schüttelte und fragte sie, was sie tun würden, „… wenn sich das Karma erfüllt".

Anderswo wird die Platte ruhiger, introvertierter. „Poison Heart" aus der Feder des Frontmanns ließ sich leicht sowohl auf seine betrügerischen, opportunistischen Ex-Drogenkumpane in L.A. als auch die Moralbankrotteure münzen, die als Anführer der Freien Welt galten. „Du weißt, es ist Zeit zum Aufgeben", bedrängte er seinen ungenannten Gegenspieler. „Du wirst immer allein bleiben."

„Poorman" kam einem Wiedergänger von „Everything Counts" überraschend nahe, weil Gores Text vom betrüblichen Los eines Obdachlosen kündete und das Fazit zog: „Konzerne schreiben schwarze Zahlen/ müssen kaum zurückbezahlen." Die rhetorische Frage, wann denn etwas „durchrieseln" würde, spielte sarkastisch auf die „Trickle-down-Theorie" an, die dem Philosophen Adam Smith zugeschrieben wird.

Spirit war eine souveräne Umdeutung von *What's Going On* fürs Hier und Jetzt zwischen Elektronik und Industrial. Die Scheibe fand ihren Höhepunkt im Finale „Fail", einer beispiellos trostlosen Techno-Ballade. Dabei gelangte Martin Gore zum denkbar vernichtendsten Schluss, was den derzeitigen Zustand der Menschheit anging: „Oh, wir sind am Arsch."

Na, wer hätte das kommen sehen? Nachdem Depeche Mode über drei Alben hinweg ziellos herumgeirrt waren, hatten sie sich zusammengerissen und einen hellleuchtenden, wortmächtigen Kommentar zur politischen Lage abgegeben.

Kritiker, die sich aus Gewohnheit darauf eingestellt hatten, der Gruppe drei von fünf Punkten zu geben und zu bemerken, dass sie stets die gleiche alte Leier abspule, freuten sich über ihre gallige Zielgerichtetheit auf *Spirit*. „Sich vom Sermon der Band mitreißen zu lassen fällt leicht", nickte der *Rolling Stone* zustimmend, wohingegen *Classic Rock* bemerkte: „Depeche Mode werden mit Wut im Bauch alt, und das steht ihnen gut."

Alexis Petridis vom *Guardian* wurde der Komplimente für die nunmehr geladene Stimmung, den innigen Zorn des Trios nicht müde. „Depeche Mode haben ein Album herausgebracht, das einem einstündigen Wut- und Entsetzensschrei angesichts einer Welt gleichkommt, in der Personen wie Richard Spencer anscheinend Aufwind haben", schrieb er und betonte: „Die Band klingt ungeschönt und lebendig, ist strikt gegen reines Durchexerzieren."

Von den kräftig drückenden Beats bis zu den inbrünstigen, angriffslustigen Texten und den energischen Erklärungen, die Depeche Mode in den Medien zu *Spirit* abgaben, bestätigte sich der Eindruck, dass sie stärker von ihrem 14. Studioalbum überzeugt waren als von vielen der vorangegangenen. Der Glaube an ihr jüngstes Werk, das Herzblut, das sie hineinsteckten, wurde mit dem ersten Platz in den Charts einer ganzen Reihe von Ländern belohnt, wobei es in Großbritannien und den USA jeweils nur Platz fünf schaffte.

Die Welt mochte *Spirit* eindeutig, und die Band ließ sich nicht lange bitten, es in sie hinauszutragen. Zwei

„Die Band klingt ungeschönt und lebendig, ist strikt gegen reines Durchexerzieren."

GUARDIAN

Spirit

TRACK LIST

Going Backwards	Eternal
Where's The Revolution	Poison Heart
The Worst Crime	So Much Love
Scum	Poorman
You Move	No More (This Is The Last Time)
Cover Me	Fail

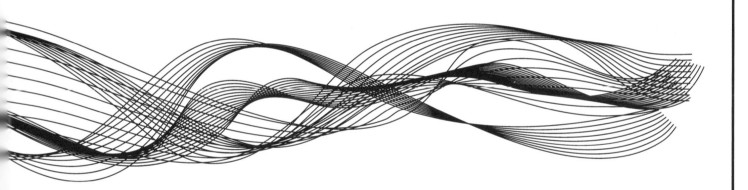

Aufnahmeorte:
Jungle City Studios, New York, und Sound Design, Santa Barbara, USA

Produziert von: James Ford & Depeche Mode

Besetzung:
Dave Gahan
Martin Gore
Andy Fletcher

Covergestaltung: Anton Corbijn

Veröffentlichung: 17. März 2017

Label: Mute 88985411651

Höchste Chartposition:
UK 5, GER 1, FRA 1, SWE 3, CAN 4, SWI 1, US 5, ITA 1, AUS 14, SPA 2

Monate nach Erscheinen begann die ausgedehnteste internationale Tournee ihrer bisherigen Laufbahn.

Nach dem Start von *Global Spirit* in Stockholm am 5. Mai 2017 ging es 14 Monate lang im Zickzack und in sechs Abschnitten über den Planeten. Die Einnahmen aus den 130 Shows beliefen sich auf über 250 Millionen Britische Pfund. Als die Gruppe gegen Ende für zwei aufeinanderfolgende Konzerte am 23. und 25. Juli 2018 in die Berliner Waldbühne zurückkehrte, hatte sie vor mehr als zweieinhalb Millionen Menschen gespielt. Vielleicht war die Revolution bereits im Gange und die ganze Zeit zum Greifen nah gewesen.

Manchmal im Leben schließt sich der Kreis. Bei den letzten Gigs der *Global Spirit*-Tour in Berlin traten die Deutsch Amerikanische Freundschaft respektive DAF im Vorprogramm auf – einer der beiden ersten Acts, deren Musik Daniel Miller 40 Jahre zuvor bei Mute herausgebracht hatte. Über den Gegenstand der Gespräche hinter der Bühne kann man nur spekulieren.

Wenn Depeche Mode selbst 2020 ihren 40. Geburtstag feiern, wird naturgemäß Zeit für eine Rückschau sein. Es mag kein nostalgisches Fest werden – darauf legen Futuristen in der Regel keinen großen Wert –, aber Martin Gore, Andy Fletcher und Dave Gahan dürften sich schwertun, ihre Karriere nicht mit Bedacht Revue passieren zu lassen.

Eine wesentliche Erkenntnis, zu der sie dabei eventuell gelangen, ist die des Glücks, überhaupt noch hier zu sein. Sie hätten zu vielen Anlässen leicht das Handtuch werfen können, ob wegen Vince Clarkes Ausstieg 1981 oder aufgrund von Fletchers Zusammenbrüchen auf

Pressekonferenz zum Startschuss der *Global Spirit*-Tour am 11. Oktober 2016 in Mailand.

Tournee in den 1990ern und vor allem als Dave „Die Katze" Gahan 1996 in einem Hotel in Los Angeles fast das letzte seiner neun Leben ließ. Damals hätte es weit hergeholt gewirkt, dass er mehr als 20 Jahre später gesund und munter geradezu aufblühen würde.

Depeche Mode haben eine stattliche Historie, eine eindrucksvolle Vita aufzuarbeiten – und dürfen dies mit Stolz tun. Wenige Bands ihrer Generation existieren noch. Die meisten von ihnen, beispielsweise The Cure oder New Order, befinden sich im Halbruhestand und geben sich nur gelegentlich die Ehre, um ihre Rente mit gewinnbringenden „Hit"-Tourneen durch Arenen oder Headliner-Auftritten bei Festivals aufzubessern.

Depeche Mode haben sich phasenweise auf ihren Lorbeeren ausgeruht, kreative Flauten und Stillstand erlebt, aber irgendwie ein Händchen dafür behalten, sich zu besinnen, die Ursachen dafür zu beheben, um verjüngt und gestärkt daraus hervorzugehen, abermals gegenwartsrelevant und maßgeblich zu werden.

Das beklemmende Album *Spirit* verdeutlichte, dass sie immer noch rastlose Seelen mit neugierigen Gemütern sind … und derselben Gabe für Popsongs, die Daniel Miller vor so langer Zeit im Canning Town Bridge House zum Staunen brachte.

Die Band begann mit „maschinenhafter" Musik, zeigte aber zusehends eine verletzliche menschliche Seite, je bekannter sie wurde. Allerdings dürfte sie selbst für den Fall, dass ihr nach romantischer Verklärung oder gar einer Gedenktour zum 40. Jubiläum zumute ist, gespannt mit einem Auge in die Zukunft schauen.

Diese künstlerischen Außenseiter, diese untypischsten aller Rockstars haben einen sehr weiten Weg hinter sich, aus dem tristen Basildon in die Welt hinaus. Man wäre töricht, würde man darauf wetten, ihre außergewöhnliche Geschichte neige sich auch nur andeutungsweise dem Ende zu.

Hier ist Schluss: Höhepunkt zum Ende der Global Spirit-Tour in der Berliner Waldbühne, Juli 2018.

Danksagungen, Zitat- und Bildquellen

DANKSAGUNGEN

Was für ein Phänomen Depeche Mode weltweit sind, wurde mir erstmals bewusst, als ich 1993 in Sibirien lebte. Für Russland war dies eine turbulente Zeit, und als ich eines Tages den Roten Platz in Moskau besuchte, marschierten dort drei größere Gruppen ohne offizielle Genehmigung auf: Gegner von Boris Jelzin, ein Teil seiner Unterstützer und ein Patronengurte tragendes Heer blondierter Depeche-Mode-Fans, die Dave Gahans Geburtstag feierten.

Seitdem ist die Band nur noch berühmter geworden. Ich habe es genossen, dieses Buch zu schreiben und ihren unaufhaltsamen Aufstieg zu dokumentieren. Zu Dank verpflichtet bin ich Mick Paterson für seine Berichte darüber, wie er versucht gewesen war, Musikjournalisten die Lichter auszublasen, und Miles Goosens, weil er seine Story von einer sehr besonderen Begegnung in den Appalachen mit mir geteilt hat. Beinahe hätte ich auch Doug McCarthy und Steev Toth danken müssen – ihr habt es nett gemeint, und wenigstens konnten wir privat einiges bei einem Glas Bier nachholen, Steev. Wirklich herzlich bedanke ich mich bei meinem Herausgeber Rob Nichols, weil er zeitlich flexibel war, als Sir Billy Connolly recht unerwartet in mein Leben trat, und Gill Woolcott dafür, sichergegangen zu sein, dass keine Seite dieses Buchs verkehrt herum gedruckt wurde. Hoffentlich.

Ferner danke ich Martin Gore, Andrew Fletcher und Alan Wilder für jene frühmorgendliche Episode 1994 in einer Herberge in Somerset, als ich ihnen moralisch beistehen durfte. Jungs, ihr habt bestimmt keinen Dachschaden.

Das Buch *Depeche Mode: Kultband für die Massen* ist für meinen Kompagnon in jener seltsamen Nacht: Phil Nicholls.

ZITATQUELLEN

Zeitschriften und Zeitungen:
NME, Melody Maker, Sounds, Uncut, Q, Mojo, The Independent, No 1, New Sounds New Styles, Record Mirror, Smash Hits, Sound On Sound, Daily Star, Daily Telegraph, Daily Mirror, The Times, New York Times, Select, Trouser Press, Rolling Stone, Kingsize, ZigZag, Vox, International Musician and Recording World, The Observer, The Guardian, Los Angeles Times, MT, The Face, Spin, New York Post, Billboard, New York, Classic Rock

TV, Radio, Webseiten und Filme:
Synth Britannia, Top Of The Pops (beide BBC), MTV, *Recoil* (recoil. co.uk), Depeche Mode (depechemode.com), *101, Reading Pronunciation* (readingpronunciation.blogspot.com), *Loud and Quiet* (loudandquiet.com), *Pitchfork* (pitchfork.com), KROQ, *The Quietus* (thequietus.com), Twitter, CNN, Fox News

Literatur:
Baker, Trevor: *Depeche Mode: The Early Years*: Independent Music Press, 2013
Malins, Steve: *Depeche Mode: Die Biografie*: Hannibal, 2013 (aktualisierte Neuauflage)
Miller, Jonathan: *Stripped: Depeche Mode*: Omnibus Press, 2003
Reynolds, Simon: *Rip It Up And Start Again: Postpunk 1978–1984*: Faber & Faber, 2006
Sixx, Nikki und Gittins, Ian: *The Heroin Diaries: A Year In The Life Of A Shattered Rock Star*: Pocket Books, 2007
Stubbs, David: *Mars By 1980: The Story Of Electronic Music*: Faber & Faber, 2018
Interview des Autors mit Mick Paterson.

BILDQUELLEN

Mit freundlicher Genehmigung von Alamy: AF Archives 70; Anthony Pidgeon/MediaPunch: 174; dpa picture alliance: 68, 76, 77, 78, 87, 92, 94t, 94b, 133, 141, 206; Everett Collection Inc: 16; Igor Vidyashev/ZUMAPRESS.com: 8; John Bentley: 22; LFI/Photoshot: 67; MPVCVRART: 17; Oleg Konin: 104; Pictorial Press Ltd: 14, 19, 25, 86, 90, 101, 132; Roman Vondrous/CTK Photo: 232; Soeren Stache/dpa: 239; Stephen Wood/Pictorial Press Ltd: 58; The Photo Access: 229; Trinity Mirror/Mirrorpix: 12, 18, 24r; WENN Rights Ltd: 214; Zoonar GmbH: 231; ZUMA Press Inc: 221b

Mit freundlicher Genehmigung von Avalon: C.L. Kirsch/Retna UK/Photoshot 138; LFI/Photoshot: 24l, 61, 66l, 66t, 66b, 83, 202r; Michael Putland/Retna UK/Photoshot: 39; Picture Alliance/Avalon. red: 84; PYMCA/Photoshot: 82, 181; Retna/Photoshot: 23, 88, 89, 91, 95t, 117, 120, 126, 127, 131, 134, 189t, 203, 212; Spiros Politis/Retna Pictures/Photoshot: 4; Steve Currid/Retna Pictures/Photoshot: 2

Mit freundlicher Genehmigung von Getty: Al Pereira/Michael Ochs Archives 139; Alison Braun/Michael Ochs Archives: 157; Allan Tannenbaum: 54; Andreas Rentz: 222; Anthony Pidgeon/Redferns: 150; Brian Rasic: 177, 192; Dave Hogan/Hulton Archive: 26t; David Corio/Michael Ochs Archives: 20, 27, 28, 32, 38; David Corio/Redferns: 47; David Redfern/Redferns: 95b, 125; Ebet Roberts/Redferns: 56, 106; FG/Bauer-Griffin: 52, 59; Fin Costello/Redferns: 6, 49; Frank Lennon/Toronto Star: 102; Franziska Krug: 189b; GARCIA/Gamma-Rapho: 142, 164tl; Gie Knaeps: 74; Gina Ferazzi/Los Angeles Times: 154; Harry Langdon: 202l; Jakubaszek: 218, 220, 221t; Jason Merritt for Press Here: 201; Jazz Archiv Hamburg/ullstein bild: 110, 111, 114, 115, 140; Jim Dyson: 197, 215; Joe Dilworth/Photoshot: 193, 205; John Shearer/WireImage: 223; Karl Walter: 207; Koh Hasebe/Shinko Music: 107, 148; Lisa Haun/Michael Ochs Archives: 15, 55; Michael Putland: 43, 73, 93; Michel Delsol: 35; Mick Hutson/Redferns: 163, 164b, 165, 171; Peter Noble/ Redferns: 50, 57; Peter Still/Redferns: 156, 164tr, 169; Philip Ramey/Corbis via Getty Images: 219; Rob Verhorst/Redferns: 64, 112, 136, 144, 152; Roberto Panucci /Corbis: 226; Rune Hellestad/CORBIS: 124; Sam Thomas/Gamma-Rapho: 200; SGranitz/WireImage: 177; Sony Music Archive/Mark Baker: 155; Steve Eichner: 153; Tim Mosenfelder: 190; Virginia Turbett/Redferns: 30, 36, 40; Vittorio Zunino Celotto: 236

Mit freundlicher Genehmigung von Rex/Shutterstock: Andre Csillag: 41, 46; Anthony Pidgeon/Mediapunch: 159, 167; Chris Pizzello/AP: 188; Eugene Adebari: 130; Gunter W Kienitz: 71; Ian Dickson: 168; Ilpo Musto: 10, 26b, 65; ITV: 97, 166; Jason Sheldon: 228; Joseph Branston/Future Publishing: 213; Nick Ut/AP: 184; Piers Allardyce: 178; REX/Shutterstock: 123, 172; Sunshine International: 33, 75, 79; Unimedia: Cover-Foto